72ND. EXHIBITION 2020

GLASS WARE
SCULPTURE
POTTERY PRINT
PHOTOGRAPH
WEAVING
CALLIGRAPHY
GRAPHIC DESIGN
LACQUER WARE
WOOD WORK
DYEING PAINTING

沖展

第72回 「沖展」

　沖展は、沖縄戦で荒廃した郷土を文化の力で復興することで県民を支えようと、沖縄タイムス創刊の翌年1949年に始まりました。以来、毎年開催しており、今では県内最大の総合美術工芸展として県民に定着しています。

　絵画・版画・彫刻・グラフィックデザイン・書芸・写真・陶芸・漆芸・染色・織物・ガラス・木工芸の12部門から成り、今回は一般の部に912点（763人）の応募がありました。厳しい審査を経て549点（513人）が入賞入選し、会員および準会員の作品を合わせて合計803点（755人）を一堂に展示する予定でした。

　しかし、今年は新型コロナウイルスの流行により、世界的規模で感染拡大防止の観点から各種イベントの中止・延期が相次いでいます。沖展は乳児からお年寄りまで毎年3万人近い方にご来場いただき、不特定多数の方の濃厚接触の可能性が否定できません。作品保護の観点から十分な換気ができない会場事情もあり、来場者や運営スタッフ、関係者の健康と安全面を最優先に考慮して開催中止という苦渋の決断に至りました。中止は初めてで、出品者や沖展ファンの皆さまに大変申し訳なく思いますが、感染拡大の収束の見通しが立たない中、健康・安全を最大限考慮しての判断としてご理解いただければ幸いです。

　この図録は今回から初めて、書店で販売します。沖縄の美の"粋"が詰まった1冊をご堪能いただければ幸いです。準会員賞、沖展賞、奨励賞、浦添市長賞、うるま市長賞、e-no株式会社賞の入賞74作品につきましては2020年9月をメドに、タイムスビルで第72回沖展「特別展」として展示する予定です。

　沖展は、豊かな感性や自由で多様な価値観が思い思いに表現された作品の数々で埋め尽くされる展覧会と自負しております。来春の第73回展で皆さまとお会いできる日を楽しみに、開催に向けて努力して参りますので、ご理解とご協力を賜りますよう重ねてお願い申し上げます。

　結びに、30年以上にわたって本展会場をご提供いただいています浦添市、浦添市教育委員会をはじめ、沖展選抜展を主催運営して頂いているうるま市教育委員会、ご協賛のオリオンビール株式会社、e-no株式会社、沖縄食糧株式会社、株式会社大川、株式会社かりゆし、光文堂コミュニケーションズ株式会社、「沖展みんなの1点賞」企画協力の日本トランスオーシャン航空株式会社、後援団体の関係各位、そして、意欲と熱意あふれる作品をご出品いただいております皆さまに心より感謝申し上げます。

沖縄タイムス社

第72回「沖展」審査結果

部門	一般応募 応募点数（人数）	沖展賞	奨励賞	浦添市長賞	うるま市長賞	eno株式会社賞	入選	計	準会員 応募点数（人数）	準会員賞	他展示数	計	会員 会員点数（人数）	特別展示	計	総合計 総展示数（総人数）
絵画	150点（150人）	1	3	1	1	1	76	83点（83人）	18点（18人）	2	16	18点	31点（31人）	1	32点	133点（133人）
版画	17点（11人）	1	1	1	1	1	10	15点（11人）	4点（3人）	1	3	4点	11点（11人）		11点	30点（25人）
彫刻	22点（21人）	0	2	1	1	1	9	14点（14人）	4点（4人）	1	3	4点	16点（15人）		16点	34点（33人）
グラフィックデザイン	38点（30人）	0	3	1	1	1	23	29点（26人）	10点（7人）	1	9	10点	12点（9人）		12点	51点（42人）
書芸	280点（280人）	1	4	1	1	1	198	206点（206人）	30点（30人）	2	28	30点	38点（38人）	2	40点	276点（276人）
写真	269点（153人）	1	2	1	1	1	75	81点（64人）	12点（9人）	1	11	12点	11点（11人）		11点	104点（84人）
陶芸	44点（37人）	0	2	1	1	1	33	38点（35人）	3点（3人）	1	2	3点	12点（12人）	1	13点	54点（51人）
漆芸	6点（6人）	0	1	1	1	0	3	6点（6人）	1点（1人）	1	0	1点	7点（7人）		7点	14点（14人）
染色	21点（21人）	0	2	1	1	0	15	19点（19人）	1点（1人）	0	1	1点	6点（6人）		6点	26点（26人）
織物	21点（20人）	1	2	1	1	0	13	18点（18人）	4点（4人）	1	3	4点	10点（10人）	1	11点	33点（33人）
ガラス	20点（17人）	0	2	1	1	0	14	18点（15人）	1点（1人）	0	1	1点	3点（3人）		3点	22点（19人）
木工芸	24点（17人）	1	2	1	1	0	17	22点（16人）	2点（1人）	0	2	2点	2点（2人）		2点	26点（19人）
合計	912点（763人）	6	26	12	12	7	486	549点（513人）	90点（82人）	11	79	90点	159点（155人）	5	164点	803点（755人）

CONTENTS

※会員、準会員、入賞、入選氏名は 50 音順

絵画部門

総評ー池原　優子（会員）

　絵画部門の一般応募数は150点（うち学生3点）。沖展賞含め7点が入賞、76点が入選し、今年も狭き門となった。応募作品からは技術レベルの向上と真摯さが感じられた。素材の多様性も広がっており歓迎したい。小作品でも良い作品は入選するようになったが、横一線の感は否めず審査に慎重を期した。制作する上でコンセプトやテーマの重要性が一層問われている。内容とサイズが不釣り合いで惜しくも選外となった作品もあった。どのようなスケールで表現するのか。大切な要素の一つなので、熟考して再度挑んでほしい。今回から作品名を開示しながら審査に当たった。よりよい審査を目指し更なる改変が必要だろう。正賞の講評はそれぞれに譲り、総評では特別賞に触れる。

　浦添市長賞の仁添まりなさんの《人魚塚》は絹本に描いた日本画。シンメトリーな構成に見えるが、モチーフの位置を微妙に替えながら配している。丁寧な彩色と背景に描かれた文様、配置のこだわりからは、絶滅危惧種に憂いや思いを馳せる作者の強い気持ちが伝わってくる。

　うるま市長賞は与那覇俊さんの《質量 ART（11278）より第4の脳説》。極細ペンによる文字や記号の羅列が緻密に並んだ様は気が遠くなってしまいそうだが、不思議と画面からそのような苦しさは感じられない。むしろ内面から湧き上がる衝動のままに描く独特なスタイルは実に楽しげだ。本来創作とはそういうものだと思い出させてくれた。

　e-no 株式会社賞を受賞した小林実沙紀さんの《見守る》は岩絵具の美しい色相が和紙の上を揺れ動いて目を惹く。見下ろしたような視点は木漏れ日に穏やかな眼差しで温かく包み込む母性愛を感じさせた。3人とも若い作家で、着想は三者三様。独自の世界観が評価された。

　世界終末時計が100秒を切ったそうだ。真偽はどうであれ不安に満ちた時代である。だからこそ、そのような時代を切り開くために携える美術の可能性は計り知れないものがあるだろう。新旧の変化の風を感じながら、また素晴らしい作品の登場を期待している。

会員作品

『HENOKO 2020』（92×138）喜久村　徳男（会員）

ある風景（123×155）喜友名　朝紀（会員）

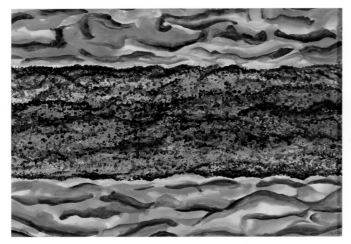

浸食（72.8×103）具志堅　誓謹（会員）

風景の中で（90×150）大浜　英治（会員）

6

《自画像》（170×137）中島　イソ子（会員）

多様な背景をもつ四人の家族（147.5×179）
稲嶺　成祚（会員）

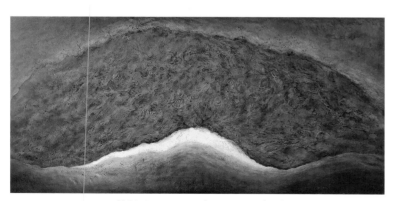

砂地とリーフ（130×194）治谷　文夫（会員）

無何有の郷を考える（146.7×113.4）
与久田　健一（会員）

会員作品

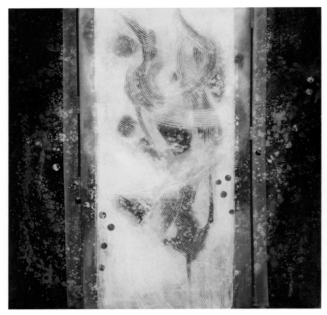

点と位置と（164×164）**與那嶺　芳恵**（会員）

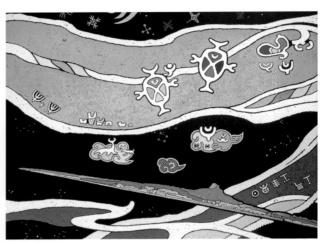

時空を超えて（113×146）**ウエチヒロ**（会員）

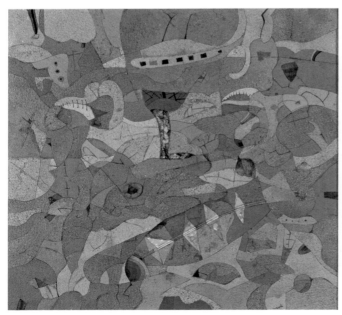

畦払い（アブシバレー）（182×182）
宮里　昌信（会員）

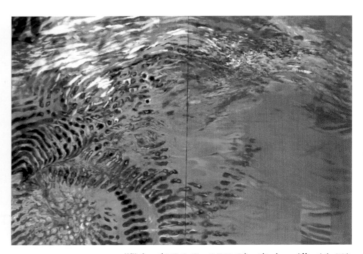

溯上（134.3×197.9）**当山　進**（会員）

潮流のラビリンス （162×130）
佐久本　伸光 （会員）

景 （19）（163×131）比嘉　武史 （会員）

鳥のように 2020 （130×162）具志　恒勇 （会員）

終りの始まり （146×206） 砂川　喜代 （会員）

バレリーナ（177×146）**赤嶺　正則**（会員）

公園の親子（200×150）**新垣　正一**（会員）

地中海の風（イタリア）（142×206）**金城　進**（会員）

悲しむ人（151.5×121.5）**比嘉　良二**（会員）

シーシュポス（137×162）**大城 讓**（会員）

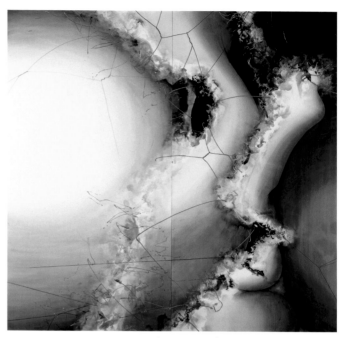

Emotional（180×180）池原 優子（会員）

外から出る（201×182）山内 盛博（会員）

愚者（Ⅳ）（140×180）金城 幸也（会員）

会員作品

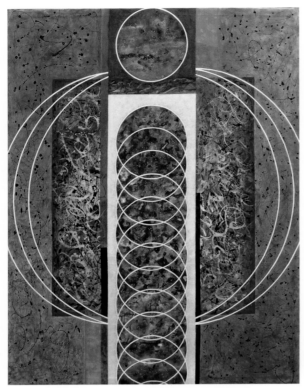

相（130.8×162.8）佐久本　米子（会員）

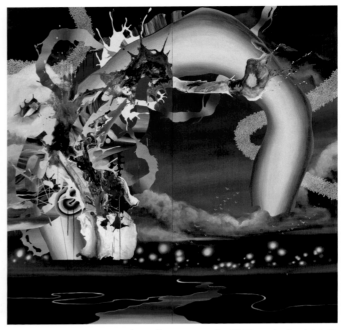

オボツカグラ（180×180）並里　幸太（会員）

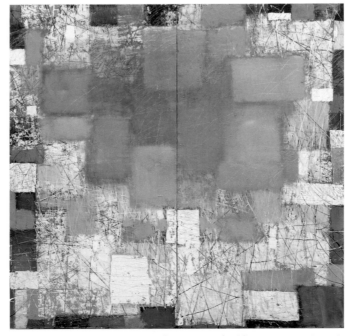

記憶の扉（200×200）鎮西　公子（会員）

準会員賞

黒い森（189×189）　平川　宗信（準会員）

　絵画は視覚を媒介とした表現である。色彩画家として知られるマティスは絵画に肘掛椅子のここちよさを求めた。それに対しこの作品は視線を拒み、ここちよい美しさではなく闇を志向しているようだ。

　枠からはみ出るようにクローズアップされた樹幹、単純な構成と抑えられた色彩、そしてメディウムの特性を熟知した確かな技法は観者の視線を引き付ける。反面、牢獄を思わせるイメージは視線の侵入を頑なに拒む。表現技術の誘引力と、イメージが喚起する拒絶の前でとまどう視線はやがて格子をぬけ最奥に達する。そこは完全な闇の世界である。

　絵画は見るためにあるが、闇は視界ゼロの世界である。そこを止揚できたのは作者がかつて闇を見、そこが自らの終点ではなく新たな出発点であることを制作を通して会得したからにちがいない。

　安易な気持ちで作品の前に立つと格子を挟んで内と外が入れ替わるような不安を覚える。その時牢獄に捕らわれているのは観者かもしれない。

評－山内　盛博（会員）

準会員賞

形而上的瞑想（147×188）**サンリー・ヨンツォ**（準会員）

　昨年の沖展賞に続いて連続2度目の受賞となったが、表現の手法は前作を受け継いだものとなっている。カラフルな矩形に仕切られた中に風景や花などの具象画を絡み合わせて力強い構図を作り上げている。
　一見すると抽象画にしか見えないが具象画と抽象的な形が混じり合い不思議な雰囲気を醸し出している。抽象的な形態と具象の形態を融合させるというのは簡単に思えるが実は難しい問題を抱えている。表現の最終的な段階で突きあたる「調子」のことである。絵画の「調子」というのは言葉では言い現わしにくいものだがどの作品にもこれに配慮しながら自らの作品を仕上げている。
　サンリー氏の作品は具象と抽象の微妙なバランスを保ちながら独特な表現を作り上げている。かなりの絵画的な「センス」が要求される。色彩も強くがっちりとした構成となっている。ただもっと大きな作品がこの構成にはふさわしいと思うので次回ではより大きなサイズの作品を見てみたい。頑張ってください。

評－具志　恒勇（会員）

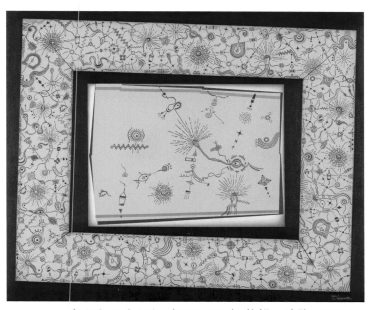

あがたぬくがた （165×197） 仲松　清隆 （準会員）

地相Ⅵ （205×170） 與那覇　勉 （準会員）

chaos （164.5×132.5） 北山　千雅子 （準会員）

悠久の水郷 （198.5×166） 赤嶺　広和 （準会員）

準会員作品

国場川（1980）（110×136）新城　弘市郎（準会員）

ウフヌシ（大主）（184×186.5）砂川　恵光（準会員）

愁い（135×200）伊川　はるよし（準会員）

記憶の風景（188×137）
上原　はま子（準会員）

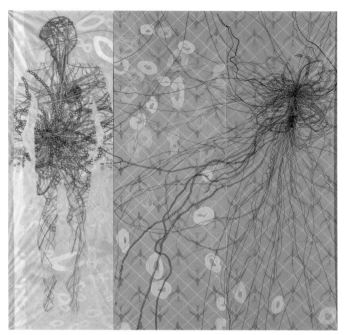

The circle of life （176.6×176.6）
山川　さやか （準会員）

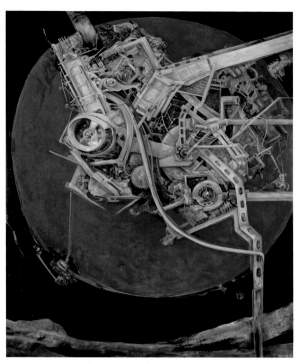

Tomorrow （164×132） 城間　かよ子 （準会員）

異常気象 （204×172） 松田　盛吉 （準会員）

SIMA （197×134）
新崎　多恵子 （準会員）

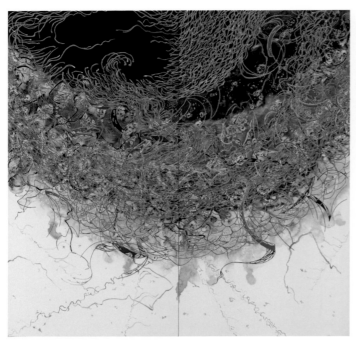

燃える魂（186×186）**仲程　悦子**（準会員）

淀み（178×145）**山田　武**（準会員）

イーチェートゥミリヨゥー（167×190）
知念　盛一（準会員）

想（164×164）**金城　恵美子**（準会員）

沖展賞

都会の孤独（201.5×203）石川　哲子

　穏やかな風景が眼前に広がる。独特な色調は時間の狭間のようで不思議な空間表現となっている。
　三分割で構成された画面。安定した描写力が優れている。
　石川哲子さんの作品《都会の孤独》は描く対象物を観察し、その現象の内部へ入っていく洞察力の眼差しがいい。デッサン力と表現力も加わり魅力的な色彩感覚で描いてある。
　モノクロームの色調で色彩を無くした分、一篇の叙情詩の心情で、波は美しい旋律を奏でる表現となり、見る人の心を誘う。常に変わりゆく風景の中の光を、蓮池に広がる葉の色調、水面に反射する色彩として描き、それは"時"をも暗示している。
　作品のテーマとなる心理描写が左右の画面で垣間見える。淡い色彩の高層ビルが消え入るようで儚い。異次元のイメージを組み合わせることで、その場の空気感や、感情が伝わってくる創造された空間である。
　ユリカモメは画面に動きを生み、造形要素が有機的に結びついている。心地よい余韻が残る作品である。

評－知念　秀幸（会員）

奨励賞

異界物語　（136×168）　知名　久夫

　知名さんの最高傑作だと思う。最初あまりの異形さにびっくりして一瞬たじろぐが何度か接しているうちに、親しみや温かさ、なつかしさ、懐の深さに共感している自分がいる。知名ワールドが生み出した数々の創造上の生物（キャラクター）が大活躍する終わりなき世界が画面に展開されている。

　我々は過去にも同じような経験をしたことはないだろうか？たとえば昔のネーデルラント地方（今のオランダやベルギー）で活躍した画家ヒエロニムス・ボスやピーテル・ブリューゲル、最近では映画のジョージ・ルーカスの『スター・ウォーズ』などの作品と通底し共鳴しながらも知名は独自の美を開花させている。

　今までも数々の大作を世に送り出してきた作者だが今回は『やさしさ』がテーマではないか。見る側に歩み寄り対話しようとしている知名さんの姿がみえるようだ。いずれにせよ冒険話は始まったばかりだ。あまり沖展では見かけない画風だけに貴重な存在だと思う。

評－金城　幸也（会員）

奨励賞

眼光衰えず（Ⅲ）（150×180）　國吉　清

　画面の中央にひなびたサバニが目を輝かせ堂々と描かれている。

　シンプルながら見る人をひきつける作品である。かつては海人が大海原で漁をしたであろう物語が残骸から伝わってくる。じっくり見ると船首は朽ち果て船尾は姿をも失っている。細かく描かれた網に浮きや船具が転がり哀愁を誘う。それでいて凛とした力強さがある。タイトルの《眼光衰えず（Ⅲ）》は擬人化した作者自身であろうか。

　色調は柔らかなグリーン系でまとめ、船のモノトーンに対して明るい広がりを感じさせる。欲を言えば、中景に少しインパクトがほしいのと、遠景の緑や手前の船影に色味があっても良いと感じた。

　近年はテクノロジーも進化を続け、表現方法も多様化の傾向にある。今回の作品のように自分の視覚を通して事物と真摯に向き合うことも大事なことである。小品から中作を経て2カ月をかけて完成させたと聞く。初受賞を祝し、今後の活躍に期待する。

評－金城　進（会員）

奨励賞

なう人類 （180×180） 浦田　健二

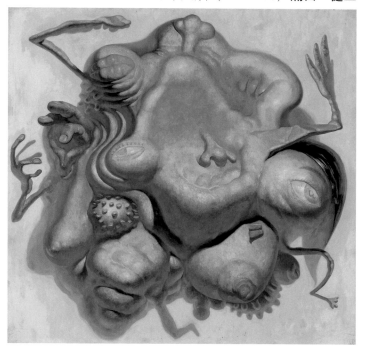

新人類、旧人類、現人類と様々なイメージが連想される。何処でどのように生きているのだろうか？不思議な画面である。幼児が言語を獲得していく発達段階における視覚表現で、「頭足人」は世界共通で見られる。胴体のない頭から手足が出る微笑ましい表現だ。しかし、作者は目、鼻、乳房など各パーツをバラバラに組み合わせ、リアルに描かれたユニークな人類として出現させた。

ユーモアとして親しみやすいか、あるいは奇妙に理解不可能な異星人として見るか。大画面で対峙する人によって印象が異なるかもしれない。

宇宙に行けるほど科学が目覚ましく発達した現代において、我々人類は進歩したのだろうか？と鋭く問われるような表現だ。シチリア島のシンボルであるトリナクリアのメデューサに見つめられて固まってしまう感もある。人類がピテカントロプスに戻ってしまう未来にならないことを希求する。

作者は若く油彩やデジタル作品と多様な表現活動の幅を見せている。引き続き期待したい。

評－佐久本　伸光（会員）

浦添市長賞

人魚塚 （116×200） 仁添　まりな

うるま市長賞

質量ART（11278）より第4の脳説（183×184）**与那覇　俊**

e-no株式会社賞

見守る（136×167）**小林　実沙紀**

版画部門

総評ー神山　泰治　（会員）

　今年の版画部門は一般応募17点（うち学生5点）、準会員4点の応募があり、その中から入選・各賞が選出された。今回の受賞作品は高水準の版表現で内容も充実、完成度が高い。応募数が少ない版画部にとって嬉しい限りである。

　準会員賞の座喜味盛亮さんの作品は木版の可能性の追求、独自の世界を展開した秀作である。沖展賞の遠藤仁美さんの《瞬間浸透率α》はエッチング、アクアチント、ドライポイントで製版、刷りは雁皮刷りで、蠢いている生き物と静止の無機物を巧みに配している。本格的な銅版画の大作に驚嘆させられた。

　奨励賞の比嘉莉々香さんの作品は、ダイナミックな歯車の表現に圧倒される。手描きの下絵をもとにシルクスクリーンの技法を駆使し、巧みに刷られている。

　浦添市長賞の安次嶺勝江さんの《街の記憶（1）》は和紙に水性画材を使用した伝統的な木版技法の作品だ。現代の街をモチーフに林立する建物をリズミカルに構成し、ソフトな配色と木目を活かした摺りに好感を持った。うるま市長賞の小出由美さんの《心模様（1）》は、デジタルプリントならではの作品で、特に画面の暗部には模様のバリエーションにより奥行きを感じさせる。コンピューターの処理手法により木版画のような味わいを醸し出している。

　e-no株式会社賞の多和田菜七さんの作品は、夜空に咲く花のような花火の表現が、シルクスクリーンには珍しく軽快なタッチで表現され、ユニークだ。

　版画部門は今年で34回を数える。当初の頃、下絵、製版、刷りのプロセスを経て版画になるという概念があり、そのため版種は、木版、銅版、石膏版画、シルクスクリーンの出品に限られていた。その後、版画の解釈が幅広くなり、作品募集要項が見直されデジタルプリントも加わって、版による表現が多様になってきた。今後、多様な表現材料から独自の世界を展開し、その版材の効果に必然性を持たせた版表現に取り組んでもらいたい。

会員作品

「COLOR-対比するものⅠ」	赤　嶺　　雅　治
夢形象Ⅱ	新　崎　竜　哉
「時の景」-石垣と石畳、2	大久保　　　彰
心景	神　山　泰　治
風におされて	座間味　良　吉
fabrication	知　念　秀　幸
酔花	友　利　　　直
うりずん	仲　本　和　子
form	仲　元　清　輝
景象2020-C-2	比　嘉　良　徳
亡き人	保志門　　　繁

準会員賞

LIFE-さあ始めようか	座喜味　盛　亮

準会員作品

OOGOMADARA	池　城　安　武
GURUKUN	池　城　安　武
悔し涙	新屋敷　孝　雄

沖展賞

瞬間浸透率α	遠　藤　仁　美

奨励賞

Deep Sea gears -深海の歯車-	比　嘉　莉々香

浦添市長賞

街の記憶（1）	安次嶺　勝　江

うるま市長賞

心模様（1）	小　出　由　美

e-no株式会社賞

Fire works	多和田　菜　七

一般入選作品

街の記憶（2）	安次嶺　勝　江
街の記憶（3）	安次嶺　勝　江
帰港	新　城　善　春
クロトン	石　垣　俊　子
瞬間浸透率β	遠　藤　仁　美
心模様（2）	小　出　由　美
とある放課後	呉　屋　純　子
夢うつつの災	座　覇　政　秀
林檎の誘惑	立　津　宏　香
白サギと花	長　井　菜々子

亡き人（131.2×91.4）**保志門　繁**（会員）

form（61×93）**仲元　清輝**（会員）

うりずん（100×85）**仲本　和子**（会員）

酔花（91×72.8）**友利　直**（会員）

風におされて（60×75）座間味　良吉（会員）

「時の景」- 石垣と石畳、2（70×50）
大久保　彰（会員）

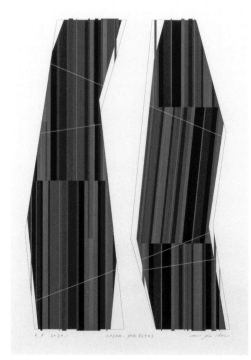

「COLOR- 対比するもの I 」（81.4×55.6)
赤嶺　雅（会員）

夢形象Ⅱ（86×62）新崎　竜哉（会員）

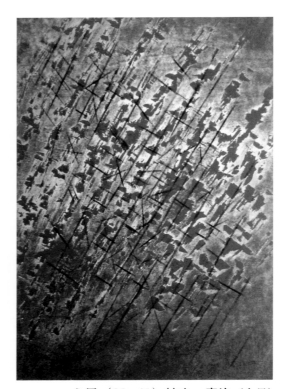

心景（60×41）神山　泰治（会員）

景象 2020-C-2（58.5×89）比嘉　良徳（会員）

LIFE - さあ始めようか -（60×60）座喜味　盛亮（準会員）

　この作品は、木版画（凸版）の多色印刷で制作された作品である。近年、力を付けており、前回の奨励賞受賞で準会員に推挙された。作品タイトルにあるように《LIFE – さあ始めようか–》は、作者のモノづくりに対する意欲的で前向きな姿勢による表れだと感じた。

　技法は木版の多色印刷であるが、油性インクによる強い色面が特徴的であり、平面構成のようなデザイン的表現により今までと違ったポップな構成となっている。表現力や新しい試みが評価された。

　氏の近年の作品には多く意図的な図形が表現されている。個人的に読み取れば画面下部の「○△×」は成功や迷い、不安など自身の状況下においての自己概念か自己暗示を表しているのか・・・。力強くもあり、繊細で構図としても新しい取り組みとして評価できる作品だと感じた。

　木版としての可能性を広げ、個性としての作品を継続し、素晴らしい作品を今後も期待したい。

評－赤嶺　雅（会員）

悔し涙（128×90）新屋敷　孝雄（準会員）

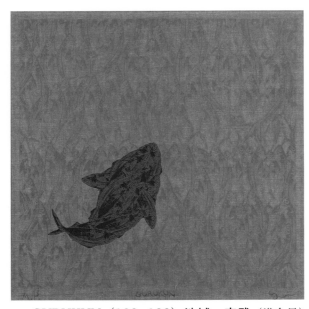

GURUKUN（100×100）池城　安武（準会員）

沖展賞

瞬間浸透率α （90×65） 遠藤　仁美

　審査会場に陳列された作品の中にあって、ひときわ存在感を発していた。
　沖展賞《瞬間浸透率α》は人体や植物、昆虫や幾何形体、構造物などのモチーフが画面全体（90×65㎝）に配され、それらが違和感なく調和し、あたかも原風景であるかのような不思議な感覚を呼び起こす。
　エッチングやドライポイントによる銅版画独特の様々な線、部分的に施されたアクアチントが作り出す濃淡のリズム、さらに雁皮刷りで味わい深い作品に仕上げ、見る人の心を引き付ける。
　今回初出品で2点出品されたが、どちらの作品も完成度が高く甲乙付け難かった。久しく待ち望んだ秀作へ出会えた喜びと、氏の創作意欲、版技法の鍛錬に敬意を表するとともに、今後ますますの創作活動を期待したい。
　沖展賞おめでとう！

評－比嘉 良徳（会員）

奨励賞

Deep Sea gears　-深海の歯車-（85×60）
比嘉　莉々香

静かな気配を感じさせ、独特な心理的画面で構成されている。上部から幻想性をイメージさせる深いブルーのグラデーションが画面を包む。ダイナミックな歯車が全面に描かれ構成要素が優れた表現内容である。

比嘉莉々香さんは孔版（スクリーンプリント）にて、初出品で奨励賞を射止めた。

スクリーンプリントは、20世紀の初頭に型紙を使用した日本の捺染（おしぞめ）技法がイギリスで発展し、工業的な大量印刷を可能にした。最初は絹の布を使用したのでシルクスクリーンと呼ばれていた。現代ではテトロンなどの化学繊維が多用されている。

その特性を活かし、線による原画を拡大してシャープに刷り上げた比嘉さんの作品は、内面に潜む「時間」「協調」「環境」などのキーワードが暗示されている。ポップで明快な色彩が画面のポイントとして軽やかにリズムを刻む。それ以外は色彩を削ぎ落とし、歯車のイメージや回りのモチーフそれぞれが関係性を持ち、白と黒の反転した世界が印象的である。

評－知念　秀幸（会員）

浦添市長賞

街の記憶（1）（45.5×60.5）安次嶺　勝江

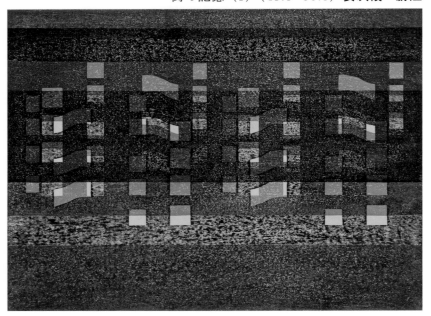

うるま市長賞

心模様（1）（42×29.5）
小出　由美

e-no株式会社賞

Fire works（85×60）
多和田　菜七

彫刻部門

総評ー上原　博紀（会員）

　第72回沖展彫刻部門の一般応募作品は、22点（うち学生1点）であった。昨年より一般、学生ともそれぞれ3点の減少である。今回は、出品料（学生据え置き）改定もあり、応募への影響が若干気に掛かる所であった。審査の結果、22作品中14点が入賞入選した。残念ながら沖展賞は該当なしだった。

　奨励賞の翁長瞳さんの《虚ろな眼》は、素材に鉄板を使い、作家の幾何学的構成力と確かな溶接技術で洗練された作品に仕上がっている。一昨年沖展賞、昨年浦添市長賞と連続受賞している新進気鋭の若手作家である。同じ奨励賞の平良勇さんの《パームツリー》は、初出品初受賞である。木彫の作品で、柔らかな曲線と木の温もりが、丁寧な仕事と融合して完成度の高い作品である。今後の活躍が楽しみである。

　浦添市長賞の小橋川剛右さんの《嬉奏》は、音の拡がりを造形で表現した秀作である。杉材を何層にも重ね合わせる手法で独自の作風、表現方法が観る者に存在感をもって迫ってくる。

　うるま市長賞の吉田タカヨさんの《舟と日没》は、鉄板を素材とした半円柱の構造物で、幅が290センチで屋外作品の規定である。大きい作品のもつ迫力は、立体造形の魅力である。

　e-no株式会社賞の小林真理子さんの《休息》は、素材が琉球石灰岩で、膝を抱えた少女のポーズを単純化し、大きなフォルムで表現した量感のある作品である。

　昨今の応募作品は、表現素材、表現様式の多様化が顕在化する反面、かつて主流であった塑像作品が影を潜め、今回入選なしである。趨勢とはいえ、寂しさを感ずる想いである。

　準会員の作品は前回よりも一点減少し4点だった。賞候補の選考では、2点の作品に絞り審査員で熱い議論を行った結果、新垣盛秀氏が準会員賞受賞となった。長年一貫したテーマに真摯に取り組む姿勢が評価された。

　今回一般応募で5名の受賞のうち3名が20代の女性作家だった。若き斬新な感性で新風を吹き込むことを期待する。

会員作品

2020　作品A	上　原　隆　昭
空手シリーズⅢ（虎の型）	上　原　博　紀
伸〜び伸び（愛犬メリー）	上　原　よ　し
Composition – Whale Shark	河　原　圭　佑
散歩道	喜　名　盛　勝
頭像	具志堅　宏　清
葉奈	玉　栄　広　芳
nameless saudade	玉那覇　英　人
記憶の再生 -2020	知　念　良　智
曖昧な工程	津波古　　　稔
ねじれ	富　元　明　雄
揺れる	友　知　雪　江
DIFFICULTY	仲　里　安　広
浜辺に立つ	西　村　貞　雄
'64 東京五輪聖火リレー第一走者之像	西　村　貞　雄
螺旋と灯りのハーモニー	與　儀　清　孝

準会員賞

神殿の寓話シリーズ	新　垣　盛　秀

準会員作品

ありし日の師匠	髙　嶺　善　昇
地下からのエネルギー	玉　城　正　昌
緊張と弛緩	津　波　夏　希

奨励賞

虚ろな眼	翁　長　　　瞳
パームツリー	平　良　　　勇

浦添市長賞

嬉奏	小橋川　剛　右

うるま市長賞

舟と日没	吉　田　タカヨ

e-no株式会社賞

休息	小　林　真理子

一般入選作品

ちょっとまってね	勝　連　盛　正
6つの直方体によるオブジェ	神　村　吉　次
「悠々」マンタ・ミノカサゴ	小橋川　共　三
残影	髙　橋　哲　平
「結晶構造」	中　澤　　　将
野面	荷川取　大　祐
フォルムのうごき	平　敷　　　傑
ニービフニ　リング	増　田　　　勉
薬師如来十二神将像	宮　城　吉　孝

浜辺に立つ（H160×W42×D40）
西村　貞雄（会員）

空手シリーズⅢ(虎の型)（H165×W45×D95）
上原　博紀（会員）

伸〜び伸び（愛犬メリー）（H45×W35×D70）上原　よし（会員）

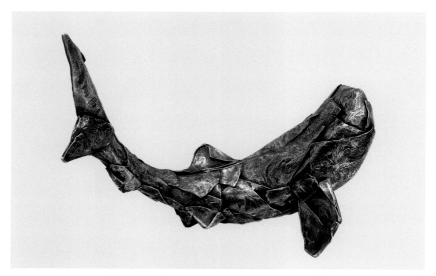

Composition － Whale Shark － （H28×W48×D24）
河原　圭佑（会員）

葉奈（H75×W54×D39）玉栄　広芳（会員）

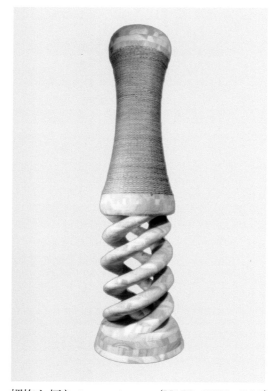

螺旋と灯りのハーモニー（H180×W60×D60）
與儀　清孝（会員）

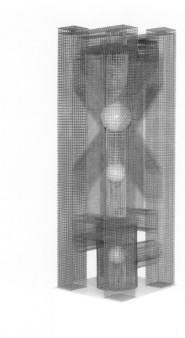

2020　作品 A（H170×W45×D45）
上原　隆昭（会員）

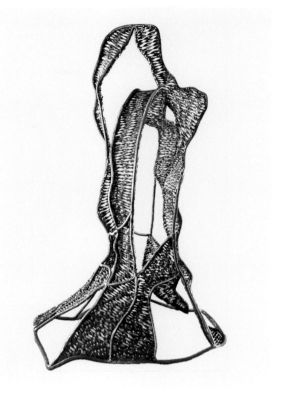

ねじれ（H102×W68×D50）
富元　明雄（会員）

曖昧な工程（H80×W70×D70）
津波古　稔（会員）

準会員作品

準会員賞

神殿の寓話シリーズ（H65×W31×D35）新垣　盛秀（準会員）

　　新垣氏は、石材を扱い建造物の装飾やモニュメント（記念碑）等、数多くの仕事をこなすと同時に創作活動を展開する作家である。日々、石と向き合い対話し格闘すること40年、素材に対する専門知識と卓越した技術で独自の作風を確立している。

　　作品《神殿の寓話シリーズ》は一貫したテーマで構築性のある作風に独自の形態で創作した完成度の高い作品となっている。作品は、礎盤上に建つ構造で神殿の柱を連想させる。白い石灰岩は沖縄の地だろうか。また柱の歪みや流動的な円状は、過去・現在・未来と時間の流れを表現しているのか・・・。

　　室内での発表は、作品の大きさや重量、構造等制約があり、限られた空間で、どうするかということから創作が始まる。時間と気力体力を費やし、自身の経験や人生観、感性、情熱等を石に封じ込めた作品となっている。

　　今後も探求を続けられ、ますますのご活躍を期待します。

評－知念　良智（会員）

36

地下からのエネルギー（H160×W105×D90）
玉城　正昌（準会員）

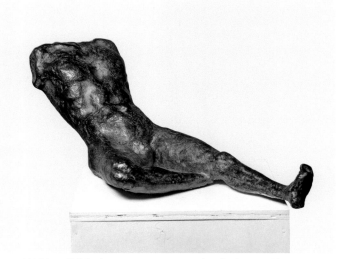

緊張と弛緩（H18×W17×D44）津波　夏希（準会員）

ありし日の師匠（H63×W50×D37）
髙嶺　善昇（準会員）

奨励賞

パームツリー （H236×W99×D99）
平良　勇

　彫刻はさまざまな素材で製作される。木の場合は鑿（のみ）や彫刻刀で彫り込んだり、木と木を組み合わせたりする工法などがある。《パームツリー》はいくつもの工法を組み合わせた難易度の高い作品だ。

　外側のフレーム部分は杉の板数枚を薄く削って同じ形の木枠を製作。数枚の薄板に接着剤を塗って張り合わせ均等な力を加えて接着する。接着剤が乾いたら、木枠からフレームを取りはずすことで、同じ形に仕上がるという工法だ。

　中に吊られた雫は蒸気を当てながら曲げており、作者のアイデアや工夫が伺える。柔らかい曲線の造形で作品全体にリズム感があり杉の木目の優しさも感じられる。

　作者は昨年、木工芸部門で準会員賞に推挙された木工作家。彫刻部門は初出品で奨励賞を受賞した。おめでとうございます。今後も魅力ある作品を期待します。

評－與儀　清孝（会員）

奨励賞

虚ろな眼 （H250×W85×D30）
翁長　瞳

　翁長氏の作品は、図形から立体を構成しイメージを膨らませて発展させた幾何学的な作品で、沖展ではユニークな存在である。70回展に沖展賞、71回展では浦添市長賞を受賞している。

　3年連続の受賞作である《虚ろな眼》は、題名から連想する空虚感という発想を作品の形にしているように思われる。その要因は素材から受ける印象で、面材としての鉄を切断し、組み合わせ、接合した。三角形の形を対称性において重点とし、材質感にも配慮した構成である。

　縦に伸びる形には微妙な隙間と空間のもつ位置付けとで作者の意図的な造形感覚が偲ばれる。また細くした先端からは植物の新芽を感じさせる。無機的なものから有機的なものへと発展させているところにも発想の豊かさを感じさせる作品である。

評－西村　貞雄（会員）

浦添市長賞

嬉奏（H166×W140×D140）小橋川　剛右

うるま市長賞

舟と日没（H90×W290×D90）
吉田　タカヨ

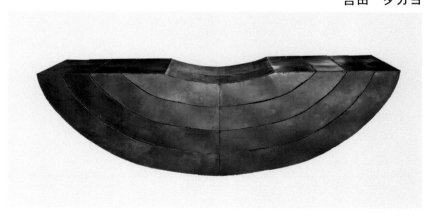

e-no 株式会社賞

休息（H40×W28×D47）小林　真理子

グラフィックデザイン部門

総評ー知念　秀幸（会員）

　令和の新元号で行う初の審査会では、一般応募者30名が出品した38点（学生2名、2点）に向き合った。

　多種多様な表現ながら、沖展賞に該当する作品は選出されなかった。審査中、デザインにはデザイナー自身が内容をきちんと理解し、その情報を伝えるべきターゲットに向け視覚的効果で伝えているか。おもに「文字」「レイアウト」「ビジュアル」「配色」に対しデザインのバランスがとれているか、どうかの再確認の場面が幾度かあった。また、今回の応募作品には欧文表記が多く、受け手に届くデザイン効果は適正か、などの意見も交わされた。

　奨励賞に棚原麻里奈さん《還》、山里美紀子さんの《REBORN! SHURI CASTLE <KING>》、玉城祥大さんの作品《GORDIES OLD HOUSE POTATO CHIPS KEY VISUAL DESIGN》の3名の受賞者が決まった。

　浦添市長賞を受賞した大城愛香さん《TERIHA ナチュラルタマヌオイル》は、商品コンセプトが的確なデザイン。南大東島産ヤラブ（照葉木）の実を搾ったタマヌオイル商品パッケージは、イメージ広告として天然素材のコンセプトを素直にビジュアル化し高い評価を得た。

　うるま市長賞は、城間アルベルトさんのイラストレーション作品《「EL CONDOR PASA～コンドルは飛んで行く」》。独特な色彩で軽やかな音楽が聞こえてきそうなイラストは、世界遺産のマチュピチュ。内容に合った豊かな色彩表現で3度目のうるま市長賞受賞となる。

　e-no株式会社賞には原田一貴さんのポスター《SNOWMAN》。創作力をアピールした表現は、可愛らしいキャラクターの女の子が、イラストレーションとして描かれ、タイポグラフィーの文字デザインで構成されている。

　準会員は7名10点が応募。準会員賞は大村郁乃さんの作品《MONSTER》。心の中にある、あらゆる「感情」をモンスターとして具現化し、内容に合わせた色面構成の大胆なイラストレーションを表現。2年連続の受賞で会員推挙となった。

　次回応募される方々へ審査会では、「自由なテーマ・発想」で、もっとチャレンジ精神豊かな表現を望むとの声があった。

著作権の元（B1）
本庄　正巳（会員）

祈り（B1）
キムラ　ロメオ（会員）

平和元年（B1）
島尻　一成（会員）

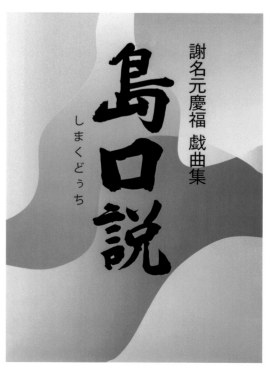

戯曲集　島口説（B1）
岸本　一夫（会員）

Boku-sho 2020 Ⅰ （B1）
玉城　徳正（会員）

回生 '02 （B0）
ウチマヤスヒコ（会員）

影絵展 （B1）
知念　仁志（会員）

準会員賞

MONSTER（B0）**大村　郁乃**（準会員）

　受賞作品《MONSTER》は、常にゆれ動く心の内面、自分自身の見えない領域、それを感情のオバケ、モンスター4体で表現した作品である。
　イラストレーションは、漆黒の闇に月が照らしている不可思議な異空間と怪しい森の木々が物語的な色彩と独特なタッチで描かれ、湖畔のほとりのモンスターは可愛く優しい色合いで描かれている。奇妙な感覚と愛らしさの対比は、見る者の感性を意図的に揺さぶる手法で、秀逸な作品である。
　連作で、湖のほとりに展示されたモニュメント作品からも人々が「自分の感情」感性を味わい、楽しんでほしいとの作者のメッセージが伝わってくる。テーマとしても斬新で、2年連続の準会員賞となった。
　グラフックデザインのカテゴリー枠組みにとらわれることなく、今後もビジュアルコミュニケーションの活動領域を拡げるよう期待している。

評－本庄　正巳（会員）

HEISEI REIWA01（B1）
中曽根　靖（準会員）

愛、ここで帰る、あの場所へ
『ドラマとは真実に最も近い空想』（B1）
仲里　都貴江（準会員）

命の海（B1）山里　永作（準会員）

よみがえる者たち（B1）中井　結（準会員）

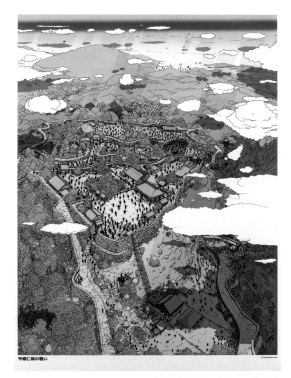

今帰仁城の戦い（A0）
沖田　民行（準会員）

idea（B0）川平　勝也（準会員）

奨励賞

還（B1）
棚原　麻里奈

　昨年に引き続き2年連続での奨励賞受賞は、力量がある証明と言えよう。
　作品は切り絵で、髪の毛ほどの細さで切り取られており繊細な技術が光る。切り絵は虫ピンで浮いており、作品が見やすくなるように工夫されている。タイトルの《還》は、ひとめぐりする、もとへ戻る、再びなどの意味があり作品とテーマ性が良くマッチし熟慮した事が伺える。
　繊細で優しい表現でありながら、青い鳥の羽が傷いて骨のような部分もあり、生と死を意識させたメッセージを強く感じる。全体が振り子時計にも見え、下部には「還」の文字もあり、昨年の作品よりも見る側に伝わりやすくなっている。
　今回の作品は、棚原氏の世界観が磨かれ、技術や表現力について申し分ない秀作である。補う点としては、グラフィックデザインの目的を意識した文字情報があると作品をしっかり伝える事ができ、作品をさらに際立たせることができると感じた。

評－知念　仁志（会員）

奨励賞

GORDIES OLD HOUSE POTATO CHIPS KEY VISUAL DESIGN（B1）
玉城　祥大

　ツヤ消しのマット素材にツヤがある金色の手描き文字デザインとイラストの入った商品パッケージデザインに注目した。奨励賞を受賞したのは玉城祥大（ハンドサインペインターズ「YOSHI」）さんがデザインした沖縄先行発売ポテトチップスのパッケージデザインである。
　もともとはハンバーガー専門店ゴーディーズのダブルチーズバーガーと、YOSHIさんが手掛けた店舗「ゴーディーズオールドハウス」のサインペインティングに惚れ込んだ沖縄ファミリーマート商品部担当者の発案によるコラボ企画で店舗オーナー、ハンドサインペインターズ、山芳製菓も加わった4社で共同開発され、2019年12月から商品発売されている。
　食べた後も日常的にデザインが残るようにとの思いから沖縄限定で2個買うとオリジナルステッカーがもらえるという仕掛けもあり、実店舗のこだわりのある雰囲気まで再現された秀作である。初の奨励賞受賞、おめでとうございます。玉城さんのますますのご精進とご活躍を期待します。

評－キムラ　ロメオ（会員）

奨励賞

REBORN! SHURI CASTLE 〈KING〉（B0）
山里　美紀子

　沖縄のシンボルとも言える首里城の焼失は、県民はもとより国民に大きな衝撃を与えた。当たり前にあったものがなくなる悲しさ、喪失感は計り知れないものがある。

　この《REBORN! SHURI CASTLE 〈KING〉》とタイトルが付けられたポスターは首里城再建へのメッセージである。琉球国王をモチーフにした色味を抑えた温かみのある手書きのイラストはシンプルで力強く、そして優しい。「REBORN! SHURI CASTLE」をエンブレムのようにデザインしたことで、手書きを中心としたレイアウトにメリハリを与え、連作である《REBORN! SHURI CASTLE 〈QUEEN〉》と並べてみることで、よりインパクトのある作品に仕上がる。

　国王の手書きのメッセージがもし日本語やウチナーグチだったら、幅広い層に想いが伝わる可能性を感じた。

　山里美紀子さんは3年連続受賞の実力者である。今後のクリエイティビティに大いに期待したい。

評－島尻　一成（会員）

浦添市長賞

TERIHA ナチュラルタマヌオイル（B2）
大城　愛香

「EL CONDOR PASA ～コンドルは飛んで行く」
(90×90)
城間　アルベルト

e-no株式会社賞

SNOWMAN（B2）
原田　一貴

書芸部門

総評－小杉　紘子（会員）

　暖冬の今年も沖展審査日は、例年の如く寒い朝になった。

　まず、去年逝去された仲本朝信先生・豊平峰雲先生の御霊に黙祷を捧げ、審査会議の後、入選作品を選ぶ鑑別から審査開始。全280作品を、漢字（211点）→調和体（15点）→仮名（40点）→篆刻（14点）の順序で、審査員35名の挙手により過半数（18点）を得た206作品を入選と決定。次に、26得点以上の90作品より18作品が賞候補に推薦され、3回の投票を経て最高得点作品を沖展賞（漢字）に、次点より4作（漢字2・仮名1・篆刻1）を奨励賞とし、これに次ぐものとして、浦添市長賞（仮名）・うるま市長賞（漢字）が決まり、学生対象のe-no株式会社賞に1作（漢字）を選出する。

　準会員賞の選考では、全30作品を総覧し、その後の厳正なる3回の投票の結果、高得点の2作（漢字2）を準会員賞に決定する。

　奨励賞以上の選評は各選評者にお任せするとして、浦添市長賞の渡久地美佐子さん・うるま市長賞の島袋園子さんの2人は、これまでの地道な努力が今回の受賞に結びついた。”継続は力なり”であり、”弛（たゆ）まずあきらめず”は、長い年月を要する書の学びの道に大切なことでもある。さらなるもう一歩の頑張りを願う。又、e-no株式会社賞の野原健斗さん、高校2年生ながらしっかりと修練を積んだ線で、ベテランの大人に交じって堂々の入選・入賞であり、快挙と言えよう。将来に期待するところ大である。

　今年、漢字作品に気力のこもった意欲作が多く見られ、沖展にかける意気込みを感じる。篆刻作品は数は少ないが、丁寧で真面目な制作姿勢に好感が持てる。仮名作品には例年より少し物足りなさを感じ、より一層気持を込めた取組みを期待したい。

　書は筆と墨と紙のコラボレーション。より深い表現を求めて感性をみがき、さらなる精進を重ねよう。年令は関係ない。

<前期・後期>

会員作品

永遠生命　十字架復活
穏信頼　栄光平和――――東江順子
迷いの快感――――安里牧子
和為貴――――新城弘志
桜貝の詩――――上原幸子
曹秉鈞の句――――上原彦一代
陽光――――運天雅代
碧巌緑　蒼龍窟――――大城武雄
江樓新晴――――大城稔
客中感懐　他三首――――大山美代子
土炎――――我喜屋明正
楓橋夜泊――――我部幸枝
人為や我為――――神山律子
烏焉魯魚　湯池鐵城
身後之諫　遊戯三昧――――金城多美子
春の初めに――――小杉紘子
琉歌　たまさかの今宵――――砂川米市
游神――――砂川榮
五言絶句――――髙良房子
追慕――――田名洋子
月華――――茅原善元
語句――――渡名喜清
沙羅の木咲き誇る花の白――名嘉喜美
星の界――――仲里徹
李紳詩「憶東湖」――――長浜和子
良寛詩――――仲村信男
琉球漢詩――――中村裕美
春げしき――――仲本清子
月下聴琴――――西蔵盛英雄
春風弄新陽――――比嘉千鶴子
意先筆後――――比嘉良勝
良寛詩句――――東恩納安弘
有古意――――前田賢二
花――――眞喜屋美佐
萬國津梁之鐘――――宮里朝尊
賀の歌――――村山典子
守礼――――盛島高行
無題　夏目漱石――――山城篤男
鶴の子は――――山城美智子
漢詩――――与那嶺典子

準会員賞

高適詩他二首――――伊野前喜美子
雑詩――――我喜屋ヤス子

準会員作品

「蘭亭叙」集句――――天久武和
蘇東坡詩――――上門かおり
賈至詩――――上地徹
出清遠峽野望――――上原貴子
雪・月・花――――上原孝之

袁宏道詩――――上間志乃
高棅詩――――金城めぐみ
山行――――幸喜石子
父在觀其志――――幸喜洋人
寒山詩――――島尚美
重別李評事――――島崎サダエ
長恨歌――――城間律子
夜眺他一首――――新垣敏子
子の日――――新里明美
游西山――――新里智子
西津別妓――――髙江洲朝則
瑞烟呈福壽　徳高望重　有脚陽春
勇往邁進　時雍道泰――田頭節子
鳥籠の――――渡慶次喜代美
白居易詩――――友利通子
墨筆――――豊平美奈子
夕月夜――――西澤恒子
近業二種――――比嘉邦子
會話（抄）――――福原兼永
新古今和歌集より
「はるのよのゆめ」他一首――松田征子
鄭虞臣詩――――松堂康子
阿娜めきて――――宮城政夫
春夜洛城聞笛（李白詩）――吉里恒貞
執心鐘入――――吉田優子

沖展賞

裴迪詩――――仲宗根司

奨励賞

啄木の歌――――安座間賀子
登鶴鵲樓――――上原善輝
暁至湖上――――金城久弥
蘇東坡詩――――仲村冴子

浦添市長賞

花あやめ――――渡久地美佐子

うるま市長賞

見章得一詩因次其韻他四首――島袋園子

e·no株式会社賞

遊銅井山――――野原健斗

一般入選作品　＜前期＞

＜漢字＞

漢詩二首	平　良　悦　子
酬澤民見懐之作	平　良　祥　子
長歌行贈房氏二首　其一	平　良　祥　太
澤畔	髙　嶺　善　伸
中城懐古	田　場　　　博
春宮曲他二首	田　端　喜　代
顧啓姫が北上するを送る　他二首	田　福　宏　美
漢詩二首	玉　木　園　子
李文淵詩	玉　城　千　博
九日閑居　他一首	玉那覇　すみ子
蘇軾詩	玉　元　庄　弘
漢詩四首	田　港　玲　子
仙霞嶺を過ぐ	知　念　一　正
感時　他一首	知　念　栄　子
王維詩「藍田山石門精舎」	知　念　美和子
涼州歌第二疊	知　念　レイ子
閑意	當　間　綾　子
蔡大鼎詩	徳　里　美代子
中城懐古	渡　口　葉　子
魏玄成詩	富　村　朝　浩
鹽州過胡兒飲馬泉他二首	友　寄　恵　子
思田園　他二首	長　堂　加代子
黄山谷詩	名　嘉　眞　萌　日
雪後早朝即事　外一首	名渡山　千恵子
詩仙詩	濱　元　邦　子
秋懐其二　秋懐其三	比　嘉　衣　枝
林世功詩	比　嘉　さつき
蘇東坡詩	比　嘉　るみ子
張説詩	東　徳　嶺　輔
題漁家壁　他一首	柊　﨑　ケイ子
抱書	譜久里　武　夫
由南昌至吉安舟行雑詩	福　地　恭　子
蔡大鼎詩	藤　田　史穂子
習隱	藤　原　裕　子
野望　他二首	古　堅　直　子
秋日書懐	平　敷　律　子
村居秋興	前　木　道　子
白水道中	前　里　勝　吉
蘇軾詩二首	真栄田　義　之
漢詩四首	真　謝　幸　代
漢詩	又　吉　澄　枝
和陶　他二首	松　川　美智子
高青邱詩　他一首	松　本　弘　子
雑詩	嶺　井　由起子
菜根譚	嶺　井　律　子
贈王文熙	宮　城　秋　夫
區大相詩	宮　城　末　義
贈劉司戸賁	宮　城　菜々美
林世功詩	宮　城　みち子
漢詩　匡廬精舎圖	宮　城　律　子
杜甫詩	宮　城　律　子
漢詩三首	宮　里　民　子
杜甫詩	宮　平　妃女花
仲春舟發廣州詠懐	宮　本　康　申
和姚子敬韻　他一首	森　　　さゆり
林守易以新舫載予同游 鼓山　他二首	山　内　成　子
王微詩	山　川　結　加
和陶（其三）	山　里　昌　輝
漢詩二首	山　城　捷　明
舟經横塘憶桐江舊游	山　城　洸　大
阻雨不得登蟠龍　雨後南池	屋　良　辰　夫
寒山詩	屋　良　知絵未
蘇東坡詩	屋　良　美　香
水調歌第一疊	与　儀　ふじ江
秋興一　他一首	与　儀　好　子
蘇東坡詩	與那覇　初　子
謝維焜詩	與那覇　律　子
李白（下）古風	湧　田　市　子

＜調和体＞

星の界	田　島　　　誠
小諸なる古城のほとり	田　場　啓　子
月光国	玉　城　笙　子
荒城の月	玉那覇　豊　子
赤とんぼ	比　嘉　礼　子
紅萌ゆる岡の花	宮　城　久　子

＜仮名＞

春の心	志　田　美代子
もみぢ	下　地　郁　子
大空に	髙　木　珪　子
春のゝに・・・・	高　野　多美子
新古今和歌集（三首）	玉那覇　節　子
春の歌五首	當　間　秀　美
春風	仲　里　美智子
藤の花	仲　村　妙　子
沙羅双樹の花	新　田　千賀子
古今和歌集　仮名序より	濱　川　綾　子
山懐に	比　嘉　栄　子
春のやなぎ	比　嘉　優　花
四季の句	眞玉橋　三　郎
百千鳥	宮　城　多佳子
さくら花	宮　城　マナ子
梅の花	饒平名　真由美

＜帖・巻子＞

春くれば	諸見里　史　子

＜篆刻＞

成智莫賢書	
恭敬辭讓　倚樹聴流泉	小　林　好　生
六論衍義	呉　屋　純　媛
静観自得　至道無為 萬事如意　座華醉月	須　藤　　　保
千秋万歳　春花秋月	
敬而遠之　經史子集	関　口　恵美子
近業六顆	富　山　由紀江
等量斉視　驚天動地 望洋興嘆　孤掌難鳴	山　城　千恵子

一般入選作品　　＜後期＞

＜漢字＞

薩都刺詩二首	赤 嶺 隆 子
夜坐 他一首	赤 嶺 美智子
立秋後夜起見明月 他一首	赤 嶺 光 宏
蔡大鼎詩	安 里 弘 子
暑旱苦熱 他一首	安座間 澄 子
秋の夜の夢	安谷屋 さゆり
蔡大鼎詩	安谷屋 実 加
唐詩 五首	天 久 美津枝
紫藤樹 他五首 (李白詩)	新 垣 惠津子
漢詩 二首	新 垣 絹 枝
蘇東坡詩	新 垣 貴 子
漢詩 二首	池 原 米 子
杜甫詩	伊 佐 直 美
春郊晩眺次韻	石 川 幸 子
故國	石 川 美津子
七言律詩二首	稲 嶺 法 子
和陶飲酒	井 上 須雅子
蔡大鼎詩	伊 波 エツ子
李太白詩	伊 禮 かおる
王中詩	上 里 美 貴
述懷	上江洲 邦 子
高青邱詩集	上江洲 ト ヨ
漢詩二首	上江田 敏 博
詠懷寄趙君	上 原 啓 子
桐江	上 原 千枝美
雑詩	上 原 康
蘇軾詩	上 原 好 美
唐律詩	上 間 智 子
春夜阻舟尤村渡華子攜酒見訪	上 間 涼 愛
杜甫詩	内 間 カズ子
雑詩 其二	宇 良 樹 希
周必大詩 他一首	浦 崎 康 哉
別許都監 他一首	近 江 幸 子
漢詩 二首	大 城 さやか
湘南雑興	大 城 舞 子
七言律詩 他三首	太 田 節 子
漢詩	太 田 美枝子
東山寺・懷帰（二首）	大 田 安 子
雨	大 湾 初 美
七言律詩	小 川 和 美
蔡大鼎詩	奥 濱 喜美子
夜登燕子磯	翁 長 淳
善才岾夜坐	兼 島 直 美

續国譯漢文大成	神 里 和 子
王洪 他三種	神 谷 希
寒山詩	神 山 郁 子
王士禎詩兩則（呉偉業）	神 山 直 子
蔡大鼎詩	香 村 春 乃
桐江基四 他二首	亀ヶ谷 牧 子
過京口	亀 川 盛 敏
蘇東坡詩	川 上 タケミ
蔡大鼎詩	川 上 秀 子
林世功詩	川 中 留 美
桑	川 満 廣 子
贈王生二首　九潭詩	喜久山 安 子
月夜泊虎山橋 他一首	金 城 綾 子
漢詩 梅村他二首	金 城 功
山中晩帰 他一首	金 城 直 子
寒山詩	金 城 美恵子
學圃贈鄙生	具志堅 洋 子
寄沂陽劉廷鎮員外	國 吉 真 吾
秋懷其一	桑 江 美恵子
渡河	桑 江 遼
寒山詩	古 賀 日奈子
静夜の吟	小橋川 スガ子
程順則詩	米 須 浅 美
海口城晩望	佐久川 俊 英
蘇東坡詩	島 田 直 子
漢詩 挽文丞相 他二首	島 津 和 美
漢詩三首	島 袋 敬 子
送宋處士歸山 他三首	島 袋 みゆき
閑静	下 地 京 子
孟冬朔日菊尊小集次韻	
答竇谷丈 他二首	謝名堂 奈緒子
家兄信宿焦山有寄	城 間 法 恵
雑詩 他一首	城 間 美 香

＜調和体＞

夏の曙	伊豆味 道 代
冬の夜	金 城 純 子
決める〜（南龍先生の言葉）	金 城 正 樹
港	金 城 雅 之
千曲川	古 謝 政 子
冬の夜	後 藤 豊 彦
紅葉	新 里 和 枝

＜仮名＞

春待つ	赤 嶺 弘 子
望郷	伊 波 正 明
島木赤彦の歌	上 原 レイ子
雪のうちに	大 嶺 加代子
春日野の	上運天 春 菜
西行の歌	岸 本 弘 子
朝ぼらけ	宜寿次 政 代
山家集より花の歌を八首	喜 納 竹 子
降りつみし	喜友名 晴 香
鷺と梅	喜友名 正 子
良寛の歌	佐 敷 博 美

＜帖・巻子＞

蔡大鼎詩	富 山 美智子
春の初花	仲 里 美代子
白楽天詩	仲 舛 由美子

＜篆刻＞

先憂後楽　楽天知命	
積善余慶　楽哉新相知	赤 嶺 悦 子
同道者相愛　恵風和暢	
恭敬而温文　物和則嘉成	安 里 涼 子
千紫万紅　温厚篤実	
當意即妙　知勇兼備	上 間 道 子
近業三顆	嘉 数 陽 子
能敬無災　聲動梁塵	
鼓舞激励　春華秋実	嘉 納 京 子

特別展示

精魂	豊 平 信 則
漂母墓	仲 本 朝 信

月下聴琴
西蔵盛　英雄（会員）
（241×53）

語句
渡名喜　清（会員）
（225×53）

萬國津梁之鐘
宮里　朝尊（会員）
（230×53）

江樓新晴
大城　稔（会員）
（225×53）

会員作品

春風弄新陽
比嘉　千鶴子（会員）
（226×53）

李紳詩「憶東湖」
長浜　和子（会員）
（230×53）

良寛詩
仲村　信男（会員）
（182×61）

碧巌緑　蒼龍窟
大城　武雄（会員）
（170×70）

（70×170）　　　　　　　　　　　　五言絶句　髙良　房子（会員）

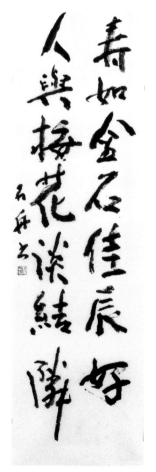

曹秉鈞の句
上原　彦一（会員）
（135×35）

守礼
盛島　高行（会員）
（135×70）

和為貴
新城　弘志（会員）
（150×53）

57

（70×175）　　　　　　　　　　　　　　　　　琉球漢詩　中村　裕美（会員）

追慕
田名　洋子（会員）
（135×70）

人為や我為
神山　律子（会員）
（135×70）

月華
茅原　善元（会員）
（140×70）

游神
砂川　榮（会員）
（136×69）

（70×135）　　　　　　　　　　　　　　　　　　　無題　夏目漱石　山城　篤男（会員）

（70×135）　　　　　陽光　運天　雅代（会員）

漢詩
与那嶺典子（会員）
（135×70）

（70×135）　　　　　　　土炎　我喜屋　明正（会員）

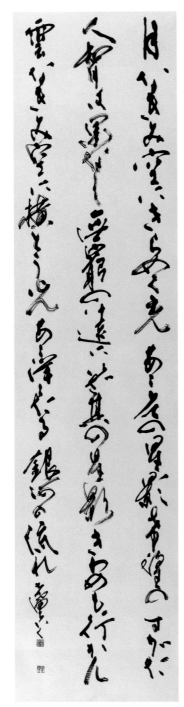

星の界
仲里　徹（会員）
（228×53）

迷いの快感　安里　牧子（会員）

（135×70）

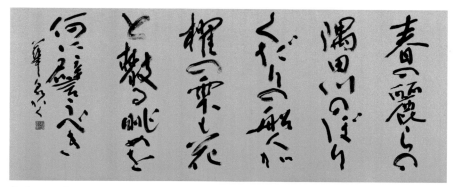

（70×170）　　　　　　　　　　　　　　　　　　　花　眞喜屋　美佐（会員）

沙羅の木咲き誇る花の白　名嘉　喜美（会員）

（120×74）

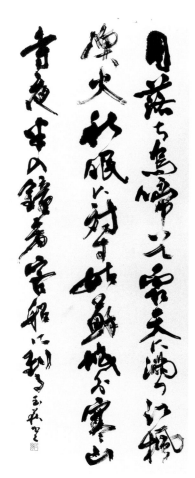

桜貝の詩
上原　幸子（会員）
（180×60）

楓橋夜泊
我部　幸枝（会員）
（175×70）

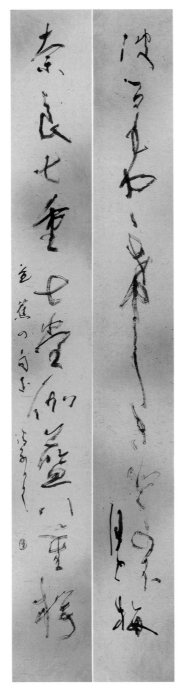

春げしき
仲本　清子（会員）
（224×54）

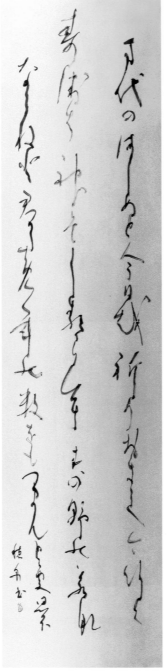

賀の歌
村山　典子（会員）
（240×60）

琉歌　たまさかの今宵
砂川　米市（会員）
（137×70）

(10×100)　　　　　　　　　　　　　　　　　　良寛詩句　東恩納　安弘（会員）

(60×178)　　　　　　　　　　　　　　　　　　春の初めに　小杉　紘子（会員）

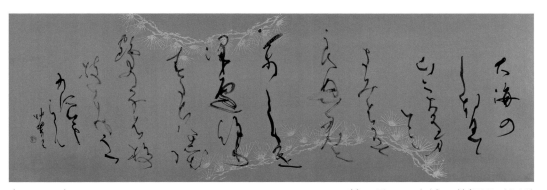

(60×180)　　　　　　　　　　　　　　　　　　鶴の子は　山城　美智子（会員）

(30×350)　　　　　　　　　　　　　　　客中感懐　他三首（部分）　大山　美代子（会員）

鳥焉魯魚　湯池鐵城　身後之諫　遊戯三昧　金城　多美子（会員）

（70×40）

有古意　前田　賢二（会員）

（7×6）

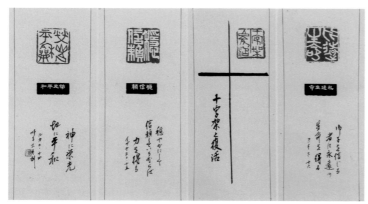

永遠生命　十字架復活　穏信頼　栄光平和
東江　順子（会員）
（40×70）

意先筆後　比嘉　良勝（会員）

（55×35）

準会員賞

(88×178)

雑詩　我喜屋　ヤス子　(準会員)

　準会員になってからの20年間、書作の追求と地道な努力を経ての受賞は感慨深い事と思う。今回の横長の作品には全体に、ゆとりがあり横への動きがより強調され行間の取り方に工夫が感じられる。長鋒の持ち味を十分に活かし使いこなして出す線、一画一画揺らめくような線質が伸びやかに変化して一字一字の文字の懐の広がりに温かみを感じる。そして思わず手を筆がわりにしてなぞり参考にしたくなるような筆使いなども有り、書は「文房四宝とその書き手の腕」といわれているがそれを扱いこなせる技量にも磨きがかかった作品となっている。

　題材は茶席の掛け軸などによく使用されている「悠然として南山を見る」の作者陶淵明の晩年あたりの詩を選文されたのはご自分の気持ちに重なりあうところなのであろう。

　また、今後もご自身の持ち味を生かした作品を大いに期待します。おめでとうございます。

評－安里　牧子　(会員)

準会員作品

準会員賞

（35×337）　　　　　　　　　　　　　　　　　高適詩他二首（全体）　伊野前　喜美子（準会員）

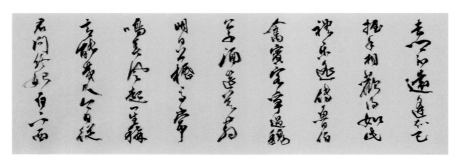

（部分）

　伊野前喜美子さん、ご受賞おめでとうございます。作者は、57回展の浦添市長賞を皮切りに数々の受賞を重ね68回展の沖展賞で準会員に推挙されました。今回の初の準会員賞受賞作は七言律詩三首を巻子に表現し、筆の開閉のきいた張りのある線の変化に好感の持てる作品です。書き出しから最後まで終始一貫したまるで辺りの景色を楽しみながら軽くジョギングしているような快いリズム感を感じます。衒いのない伸びやかさは作者の明るい行動的な性格そのものでしょう。

　近年は特に中央展での活躍も目を見張るものがあります。今後更なる精進、ご健筆を期待いたします。

評－与那嶺　典子（会員）

66

雪・月・花
上原　孝之（準会員）
（227×53）

出清遠峡野望
上原　貴子（準会員）
（228×53）

山行
幸喜　石子（準会員）
（227×53）

袁宏道詩
上間　志乃（準会員）
（227×53）

高楝詩
金城　めぐみ（準会員）
（230×53）

長恨歌
城間　律子（準会員）
（228×53）

游西山
新里　智子（準会員）
（226×53）

重別李評事
島崎　サダエ（準会員）
（228×53）

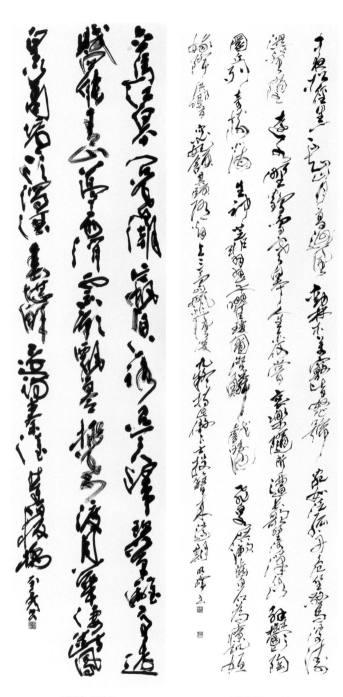

（90×160）　　　　　墨筆　豊平　美奈子（準会員）

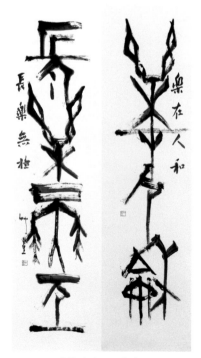

西津別妓
髙江洲　朝則（準会員）
（234×53）

夜眺他一首
新垣　敏子（準会員）
（227×53）

「蘭亭叙」集句
天久　武和（準会員）
（140×70）

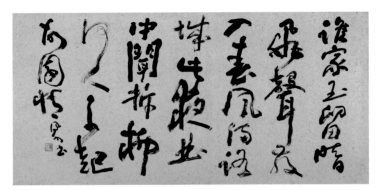

（69×138）　春夜洛城聞笛（李白詩）　吉里　恒貞（準会員）

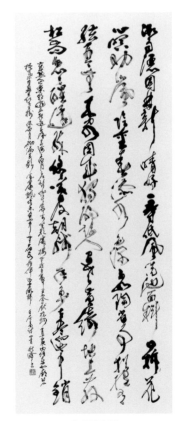

白居易詩
友利　通子（準会員）
（136×53）

執心鐘入
吉田　優子（準会員）
（234×53）

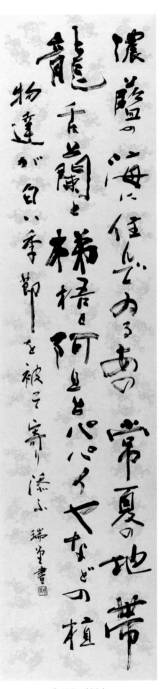

會話（抄）
福原　兼永（準会員）
（240×53）

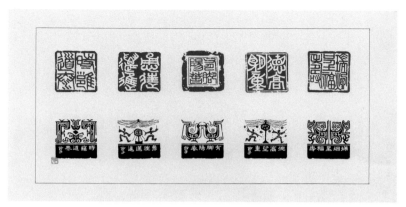

（40×70）瑞烟呈福壽　德高望重　有脚陽春　勇往邁進　時雍道泰

田頭　節子（準会員）

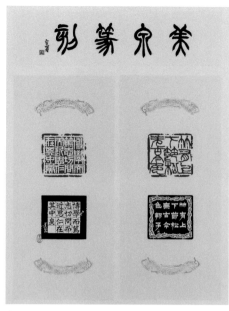

近業二種　比嘉　邦子（準会員）

（66×46）

賈至詩　上地　徹（準会員）

（175×70）

（120×120）　父在觀其志　幸喜　洋人（準会員）

準会員作品

（60×180）　　　　　　　　　　　　　　夕月夜　西澤　恒子（準会員）

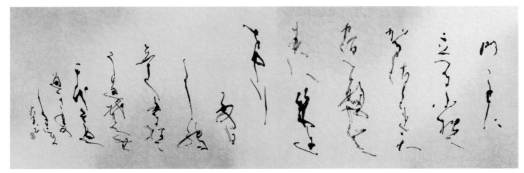

（60×180）　　　　　　　　　　　　　　子の日　新里　明美（準会員）

（35×318）　　　　　　　　　　　　　寒山詩（部分）　島　尚美（準会員）

（35×362）　　　　　　　　　　　　　鄭虞臣詩　松堂　康子（準会員）

72

（60×180）　　　　　　　　　　鳥籠の　渡慶次　喜代美（準会員）

（60×180）新古今和歌集より「はるのよのゆめ」　他１首　松田　征子（準会員）

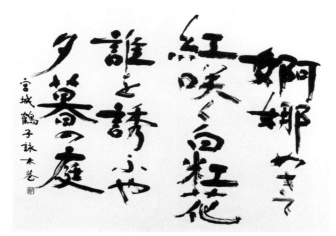

（86×116）　　　阿娜めきて　宮城　政夫（準会員）

（35×325）　　　　　　　　蘇東坡詩（部分）　上門　かおり（準会員）

沖展賞

　奨励賞2回、浦添市長賞・うるま市長賞と次々に受賞してきた仲宗根さん、ついに沖展賞を射止めました。おめでとうございます。

　作品は、唐代の詩人、裴迪の自然の趣を詠った五言絶句の四首を、大字二行と小字二行の四行構成でまとめています。

　最初の二行は「蒼々たり落日の時（おごそかに夕日が落ちる時）・・・」という秋の詩で始まり、大きな文字群は線の切れがよく、躍動感にあふれています。力強い線質や切れは、地道に続けてきた顔眞卿（がんしんけい）の臨書によって培われたものと思われます。自在な筆の開閉や墨の潤渇は、紙に食い込み、線の粗密と相まって作品を印象づける役割を大きく担っています。行間の余白の響は自然体で気負いがなく、見る者を楽しませます。そして、後の二行を小字群で控えめに書くことで、作品全体の奥行きを醸し出しています。安定した練度の高い作品が認められました。

　来年からは準会員としての出品になりますが、ますます精進されることを期待します。

評－田名　洋子（会員）

裴迪詩　仲宗根　司

（234×53）

奨励賞

—雄大さと斉整さ—
　ブルー系のボカシのある料紙に隷書4行、4行目4分の1から更に3行の行書で構成された作品は隷書の大胆さ、力強さを行書体の細字が主張し過ぎる事なく支え、紙、墨量等全てにおいて調和がとれ雄大さを醸し出した点が高い評価へと結びついたと思われる。
　隷書の迷いのない一本一本の線、八分の力強い筆致は漢時代の「礼器碑（れいきひ）」の斉整（せい）さが垣間見られ、疎密や、遠近感等の構築的な字形の作りは文字に懐ろの深さを生み出し鑑賞に堪える趣のある作品である。更に線質に磨きをかけていくと作品に広がりが出てくると思われる。
　今後とも研鑽を積み精進することを期待する。

評—運天　雅代（会員）

蘇東坡詩
仲村　冴子
（224×53）

奨励賞

　作者は小学1年の頃からこの道に生きるとひた走りし30年余と聞く。前途洋々たる新進気鋭の若武者である。中国明清代の古典渉猟を基に道を極めるべく専門大学を、その甲斐あって2015年に読売書法会の理事に昇格し、本年度新審査員就任を果たしている。日展にこれまで5回入選していることは天晴で流石である。今回の奨励賞受賞作は五十字の漢詩で行草体を駆使した三行連綿作。如何にすれば気韻生動を漲らせるか、作者の意図が感じとれる真っ向勝負の堂々たる正鵠を射る佳作である。次回の進展ぶりを期待する。

評—茅原　善元（会員）

暁至湖上
金城　久弥
（228×53）

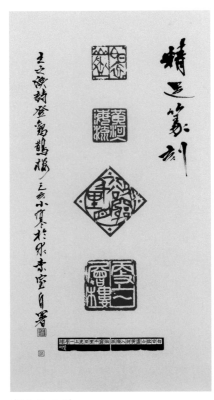

(66.5×33)

登鸛鵲樓　上原　善輝

奨励賞

受賞作は、唐・王之渙詩「登鸛鵲樓」（五言絶句）を四顆に分刻している。「白日依山盡」（朱文）は甲骨文字を用い、「白」「日」の布字に工夫が見られる。「黄河入海流」（白文）は、漢印調に仕上げ、「河」「海」「流」の「氵」（サンズイ）の使い分けが巧妙である。「欲窮千里目」（朱文）は金文を用い、刀の切れ味を全面に出した作。「更上一層樓」（白文）は小篆体を用い、辺欄と界線に太細の変化をつけ、借辺も含む印外への広がりを意識している。疎密表現と同時に、特に「一」の布置が印象的である。

落款は題箋に比べ、多少大振りになりすぎたか、一考を。側款は北魏墓誌銘を意識し、格調高くまとめている。

3回目の受賞に敬意を表し、更なる錬磨を期待する。

評－前田　賢二（会員）

奨励賞

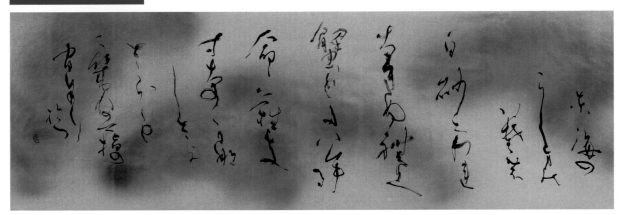

(60×178)　　　啄木の歌　安座間　賀子

まず目を惹くのが一種独特な紙の色だろう。だが、真の魅力はこの強烈な色にも負けない強さにある。力強い線質と良く考え出されたデフォルメ、適度な墨色と墨量、かなと漢字の配分、これらの要素が見事に相俟って生まれた傑作だ。右下から始まり左の対角線へと進む構成がスケールを大きく見せ、それにより生じた余白が明るさを醸し出してくれた。

歌の内容は喜怒哀楽の「哀」で、紙色にも合う。この作品は紙が充分に使いこなされていて幸せなのではないかと思う。文字の造形ひとつを見ても居心地の良さを感じる。初めの「東海」は偏より傍の位置を右下へとずらし左方向に誘う。右上の空間に「白妙」が響き、中央の「蟹」は多画なので渇筆に、隣の「命」は墨量をしっかり乗せることで作品の主題が明確になった。中央の五行が全体の柱となり、各々の行間に微妙な変化を作り立体的に見せた。「可那しさ与さらゝゝと」の儚げな感じは作品にメリハリがつき、より深い味わいを出した。準会員昇格にふさわしい。今後益々の精進を期待します。

評－仲本　清子（会員）

浦添市長賞

（60×180）

花あやめ　渡久地　美佐子

うるま市長賞

（35×353）

見章得一詩因次其韻他四首（部分）　島袋　園子

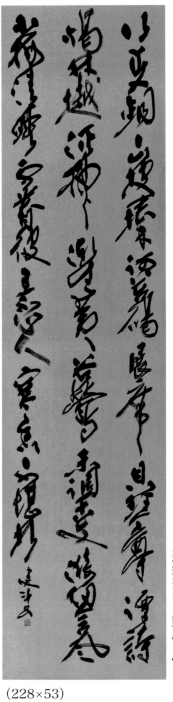

e-no株式会社賞

遊銅井山　野原　健斗

（228×53）

写真部門

総評ー吉直　新一郎（会員）

　今回は、一般応募153名（学生4名）、出品総数269点（学生6点）、準会員から9名（12点）の応募がありました。

　準会員賞には、國吉健郎さんの力作《最後の営業終えて》、沖展賞に宮良正子さんの力作《オンプール（豊年祭）》、奨励賞には宮城悦子さんの《井戸端会議》と、蛯子渉さんの《親子の絆》が選出されました。審査員、スタッフ一同、入賞、入選された皆様に心からの賛辞を送ります。

　今回から、上記以外の入賞作品の講評は総評で行うこととなりました。浦添市長賞受賞の宮城哲子さんの作品《ある日の鉄工所》は、厳しい目つきで金属加工する男性の姿を近距離から女性らしい優しい目線で撮影されています。宮城さんの日頃の写真に対する真摯な取り組みが作品からにじみ出てくる、力強く心温まる作品です。

　うるま市長賞は知念和範さんの作品《天地交響》で、星の長時間露光撮影です。今帰仁村の海辺で、30分間、三脚と自身も海に浸かりながらの撮影とのことです。その努力の結果が美しい作品の完成に繋がりました。今後、比較明合成にもチャレンジして、より完成度の高い星景写真を期待しています。

　e-no株式会社賞の小出由美さん作品《帰り道》は、大阪の商店街で天井のライトが美しいと感じてカメラを向けたところ、偶然自転車に乗った少女が振り向いたことで作者との間にコミュニケーションが生まれ、奥の明るい部分が少女の未来を暗示させるかのような楽しい作品に仕上がりました。

　今回は、一般・学生部門で前年に比べ応募者数で17名、応募点数で36点減少という残念な結果となりました。審査中、彩度の上げ過ぎやピンボケ、ブレ、空白の扱い（構図）に一考を要する作品や、タイトルと作品内容が一致しない作品が多くありました。今後の作品制作の参考にしてください。

　皆さん、写真を楽しんでください。次回の挑戦を、審査員一同お待ちしています。

会員作品

想い響け	大城信吉
雪景色の旅	翁長達夫
慰霊	翁長盛武
供え	島元智
珊瑚垣	末吉はじめ
二十日正月の拝み	渡久地政修
雨景	中山良哲
シーサー	普天間直弘
どろんこ競走	真栄田義和
耳を澄ませば	山川元亮
2006年8月11日の首里城	吉直新一郎

準会員賞

最後の営業終えて	國吉健郎

準会員作品

村の陶工	東邦定
象	東邦定
御萬人は再建に邁進す	池原徳明
ピース	石垣永精
蜜を求めて	石垣永精
木洩れ日	仲宗根直
沖縄の民「耐・祈・怒」	仲間智常
海の神への祈り	平井順光
捕食	前田貞夫
繁栄の底力	宮城和成
秋陽	宮城和成

沖展賞

オンプール（豊年祭）	宮良正子

奨励賞

親子の絆	蛯子渉
井戸端会議	宮城悦子

浦添市長賞

ある日の鉄工所	宮城哲子

うるま市長賞

天地交響	知念和範

e-no株式会社賞

帰り道	小出由美

仕事人	安里 寿美
おえかき	安里 涼子
にらめっこ	雨瀬 道一
ちゃーがんじゅう	天久 昌子
晩秋の光	天久 ゆういち
朝霧の湖畔	天久 ゆういち
人間青山	新垣 隆吾
街角	新城 直美
油断・・・	伊藤 俊雄
戯れる	稲福 晃
勇士	上間 美奈子
まなざし	おおき ゆうこう
ああーんして	大浜 忠市
波紋	大嶺 自栄
鉄を調理する	我喜屋 功
私達の備忘録	我喜屋 功
捕獲	神村 正子
「悔しくて悲しくて」	
宮森小60年目の夏	亀島 重男
ワクヤーに振る舞う。	亀谷 長進
家路	神田 守
ロマン飛行	喜名 朝駿
夢の跡(北大東島燐鉱跡)	喜名 朝駿
彼の至福の時間	金城 聡
捕獲	金城 文子
ナルシスト	金城 文子
夢の中	金城 光男
海のハンター	具志 明
晩秋の舞	具志堅 興清
猜疑心	國吉 倖明
群舞	國吉 倖明
化身	幸喜 あかり
やったぜ！	幸喜 あかり
冬景色	護得久 朝一

慈愛	米須 末子
煌めく岩肌	米須 末子
魑魅	島田 美佐子
ビーグの里	島田 美佐子
夕暮れの光	島袋 メリ子
夕照	島袋 陽子
見つめあい？ニラミあい？	菅原 壮
獲ったどー！！	菅原 壮
三位一体	鈴木 康子
干立てのオホホ様	砂川 悦子
旗頭隊長	砂川 悦子
あ～、きもちいー	砂川 盛榮
夕食の支度	砂川 盛榮
若さはじけて	髙原 景一
飛翔	髙原 景一
見つめ合う絆	玉城 健次郎
光のファンタジー	玉城 律子
大綱曳きの宴	知念 和範
勝利の瞬間	知念 かねみ
見張る	渡具知 武美
昭和のなごり	名嘉 久美子
夏の思い出	仲宗根 由貴野
ある街角で	長堂 哲
ついておいで	仲本 昌雄
二人	永山 直樹
笑顔が一番	花城 雅孝
雨の日	花城 雅孝
いい日旅立ち	本間 京子
光の舞	牧志 盛吉
パパの特技	正木 スエ子
風舞う	又吉 英男
独り占め	宮城 悦子
しんしんと	宮城 美枝子
ペーブメント	宮城 米子

利尻富士三景	宮城 米子
暮らし	宮良 正子
雄姿を今一度！	諸見里 安吉
夕照	屋嘉部 景文
カタブイ	屋冨祖 良敬
海の恵み	山田 恵美子
祭りの日	与儀 栄太郎
てほどき	与儀 文夫

2006 年 8 月 11 日の首里城（80×110）　吉直　新一郎（会員）

想い響け（80×105）　大城　信吉（会員）

供え（91×135）　島元　智（会員）

慰霊（90×127）　翁長　盛武（会員）

二十日正月の拝み（84×150）**渡久地　政修**（会員）

雪景色の旅（68×94）**翁長　達夫**（会員）

どろんこ競走（61.5×72.5）**真栄田　義和**（会員）

雨景（115×82）**中山　良哲**（会員）

珊瑚垣(65×90)　末吉　はじめ(会員)

耳を澄ませば(72×63)
山川　元亮(会員)

シーサー(50.5×74.5)　普天間　直弘(会員)

最後の営業終えて（75×110）　**國吉　健郎**（準会員）

　那覇公設市場の老朽化建て替えのため、営業最後の日を活写した。最後の営業を終え片づけ清掃をする人、朝からの混雑を終えほっとする店主、市場周辺の人たちから花束を受けた店主らの笑顔。「悲喜こもごもの情景を表現した」と作者は話す。

　左上女性の笑み、永年頑張ってきた充足感であろう。その右、歴史の重みが見える商品箱の質感もよく、女性の表情からは複雑な思いが伺える。左下はご夫婦か？タワシをかける手元と眼差しに人柄を見る思いだ。そしてボウルを持つ女性との対比が微笑ましい。慣れ親しんだ店は閉めるが新店舗で頑張ろうね、という思いが伝わる右下の写真。この写真が見る人に安心感を与える。

　メリハリの効いた諧調豊かなプリントでモノクロ写真を仕上げた。

　閉場に臨み、市場の人々のそれぞれの心象風景が表現された秀作である。

　國吉健郎さんは、昨年沖展賞受賞で準会員となり、その初年度で準会員賞の栄に輝いた。おめでとう、更に今後の作品に期待したい。

評－渡久地　政修（会員）

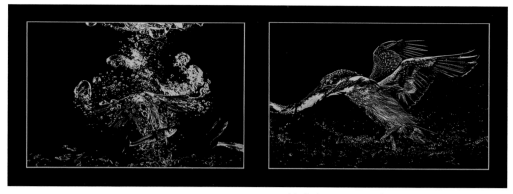

捕食（56×146.5） 前田　貞夫（準会員）

村の陶工（79×148） 東　邦定（準会員）

御萬人は再建に邁進す（84×115）
池原　德明（準会員）

木洩れ日（61×72） 仲宗根　直（準会員）

海の神への祈り（64×110）　**平井　順光**（準会員）

沖縄の民「耐・祈・怒」（49×120）　**仲間　智常**（準会員）

蜜を求めて（55×65）　**石垣　永精**（準会員）

繁栄の底力（80×105）　**宮城　和成**（準会員）

オンプール（豊年祭）（112×82） 宮良　正子

　　兄の生年祝で孫を連れて石垣島に帰省した折、オンプール（豊年祭）を見に行ったという。脈々と受け継がれている故郷の祭祀に久しぶりに触れ、何気なく見ていた伝統行事を継承する大切さを感じた。各地の祭祀をテーマに撮っているが過疎や高齢化で簡素化、簡略化されていくさまと比べ、しっかり受け継がれている生まり島の伝統祭祀に"写欲"が湧いたそうだ。

　　石垣四箇（登野城・石垣・大川・新川）の豊年祭は2日間開催される。1日目は各村で行われるオンプール、2日目は新川の御嶽に四箇字が揃って村プールを盛大に行う。宮良さんは生まり島の豊年祭に的を絞り、3枚組で表現した。

　　五穀豊穣を願う白装束の神人前の御嶽には樹根が巻き付き、歴史や荘厳さを感じさせる。旗頭が結わえられた鳥居の側で鎮座する村の衆や、着物姿の男衆が目の高さに掲げた酒器を振り動かす場面など白・黒・グレーの階調が良く写真の質を高めている。

　　沖展3年目の出品で入選、奨励賞、今回の沖展賞の快挙を祝す。

評－大城　信吉（会員）

奨励賞

井戸端会議(53×64)
宮城　悦子

　沖展ではあまり見たことのない写真で、新鮮な感動がある。蟻たちのミクロの世界と、月夜の天体の大きな世界。この満月と雲の効果で、大自然の中で懸命に生きる蟻の生活が表現されている。主役の蟻に、前からも後ろからも光を当てていると思われ、被写体が浮かび上がっている。すばらしい作品である。

　ただ、左側に蟻が固まりすぎなので、もう少しバラけた構図が望ましい。題名は《井戸端会議》。何匹かが触角を触れ合って、コミュニケーションをしている写真があれば、もっと良い作品になると思われる。

　背景の月は多重露光なのか、あるいは合成なのか。確認はできていない。しかし、合成だとしても評価は変わらず、良い写真であることに変わりはない。

　奨励賞受賞、おめでとうございます。

評－翁長　盛武（会員）

奨励賞

親子の絆(86×120)　**蛯子　渉**

　野生動物や風景を主に撮影する写真家、リチャード・ガーベイ＝ウィリアムズは著作「プロの撮り方　構図の法則」などで、ビジュアルウェイトを解説し、モチーフには重さがあると説明しています。バックが明るい場合、モチーフは重たく、その逆は軽いと。

　蛯子さんの作品は二頭のクジラが黒の中に配置されています。結果その泳ぎに"軽やか"や"心地よさ"を感じました。

　モノクロはカラーの即物的な判断と違い、海の場合「蒼」に変換して観賞するという脳の恒常性なる知覚が作品のビジュアルウェイトを高める働きをします。

　クジラの進行方向の余白と全体のバランスも、余白の美の法則に照らして高い技量を感じました。

　受賞おめでとうございます。

評－島元　智（会員）

浦添市長賞

ある日の鉄工所(82×112)　宮城　晢子

うるま市長賞

天地交響(78×113.5)　知念　和範

e-no 株式会社賞

帰り道(62×51)　小出　由美

陶芸部門

総評ー新垣　寛（会員）

　近年、応募者・点数共に減少傾向である。出品者にとっては、多くの作品数から選ばれるよりも少ない作品数から選ばれるほうが容易いことは明白である。出品者の皆さん、今がチャンスですよ、とここにこっそり書いておく。

　毎回、陶芸部門には壺・皿・シーサー・オブジェ的なものなど多種多様な作品が出品される。審査の過程でジャンル分けをしたほうが良いのではないか？という意見がいつも沸き起こるが、分けていくと切りがないという結論に落ち着く。それは、審査員の中にも得意・不得意なジャンルがあり、審査に苦しむことが多々あるからだ。

　しかし、今回のように浦添市長賞《ポーズするゴリラたち》、奨励賞《呉須染付菊唐草紋8寸5枚組皿》、e‐no株式会社賞《女神を喰らう獣》が受賞したようにジャンルや作品の大小に優劣は無く、良い作品は良いということを我々審査員の中で決めることができ、ほっとするところでもある。

　うるま市長賞《飴釉黍穂文丸壺》は、伝統的な壺屋焼の技法、技術で作られており、安心して見られる作品である。形も申し分なく線彫りした上から緑と飴の釉薬を重ねて施釉することによる色彩の変化を狙っている。この変化は、なかなか上手くいかない場合が多いなかで、上部から下部へ色彩の変化が良いと審査員の評価があり、作者は初出品ながら今回、受賞の運びとなった。

　全体的にシーサー等の大作が多く見られたが、どれも同じに見えてしまうというのが個人的な意見である。シーサー等は決まった形があるかもしれないが、ここは公募展。個性を最大限に発揮して頂かなければ評価されにくい。審査は作品を並べて評価していく。似たようなものが並ぶ可能性も考え、出品者は「自分の作品に自分の個性を表現する」ことを意識してもらいたい。審査員は、毎年出品者の生みの苦しみを共感しながら評している。前回出品した作品よりも「良い作品」で出品者の進化を審査員に見せつけて頂くと、審査員も評価しやすいということもここに明言しておく。

広口花器（H41×W45×D34）**新垣　修**（会員）

指描壺（H33×W21×D21）**新垣　寛**（会員）

辰砂窯変大壺（H50×W48×D48）
佐渡山　正光（会員）

玉持ち親子シーサー（H65×W37×D37）
湧田　弘（会員）

銀河 GR003（H42×W30×D30） **親川　唐白**（会員）

夫婦焼〆獅子　左（H50×W20×D30）
右（H50×W20×D30）
島袋　常栄（会員）

扁壺（H28×W25×D7） **島　常信**（会員）

上絵壺（H32×W32×D32） **山田　真萬**（会員）

クワディーサー釉　獅子頭（H40×W35×D35）
小橋川　昇（会員）

マンガン喜名土灰壺（H44×W35×D35）
松田　共司（会員）

イッチン　呉須掛皿（H10.5×W50×D50）
島袋　常秀（会員）

準会員賞

三彩大皿（H14×W59×D59）**石倉 一人**（準会員）

　準会員出品者3名の中から、石倉一人さんの《三彩大皿》が準会員賞となった。前回の沖展賞、今回の準会員賞と連続して受賞できることは、実力が備わっている証だといえよう。

　この作品は、ロクロ挽き、高台の削りもしっかり取れて、重さも申し分なく、端正な仕上がりになっている。また、施釉が最たる特徴となるが、緑釉の美しさ、呉須釉の力強さを十分に引き出している。

　ただ一つ気になることといえば、皿全体・中央まで施釉したため、少々うるささを感じるとともに皿全体の大きさを小さく感じさせてしまうことだ。昨年の出品作《三彩壺》同様の施釉であるが、皿の場合は、施釉方法を変える等の変化を期待していた分、今年は石倉さんの作品としてはおとなしすぎるように見えた。

　もっと大胆な作品創りが出来る陶芸家だと思う。次回の作品も楽しみに期待したい。

評－新垣　修（会員）

厨子甕（H65×W42×D40）仲村　まさひろ（準会員）

クルグスイ釉クースガーミ（H63×W42×D42）
伊禮　クニヲ（準会員）

奨励賞

呉須染付菊唐草紋 8 寸 5 枚組皿
(H6.2×W24.6×D24.6)
宮城　真弓

　宮城真弓さん初受賞おめでとう。
　受賞作は壺屋焼の伝統に則りながら、菊唐草紋が非常に生き生きとしたさわやかな感じの良い組皿です。八寸皿はそれぞれ赤土の素地に白化粧を掛け、その上に透明釉を施してある。呉須釉と飴釉で描いた大輪の菊唐草紋は手慣れていて、スムーズに描けています。何枚もの数をこなしてきた成果が見て取れます。
　八寸の皿は形がしっかりしながら紋様もきっちり皿にマッチしている。常日頃より雑器を作っている仕事が評価されました。
　沖展では大作やオブジェの作品も素晴らしいが、沖縄の焼き物の良さはもともと日常雑器の世界から展開しています。「民藝」の考え方にもつながるが、実際に使える器で美を展開して、このように受賞するのは良い傾向だと私は考えています。これからもこの姿勢で作陶を進めてほしいと思います。

評－島袋　常秀（会員）

奨励賞

花三島丸文壺「和」(H41.5×W31.5×D31.5)
宮國　健二

　奨励賞の受賞、おめでとう。2016年沖展賞、18年、19年の浦添市長賞に続き、3年連続4回目の受賞である。そのどちらも花三島による作品で、宮國健二氏の実力が確かな証であろう。
　受賞作は、いわゆる尻膨の形状から口に向かってなだらかな線を持つ安定感のある壺である。花三島で大きな円が特徴的に描かれ、その円の中に放射状に花三島が配されているが、それが全体的に動きのあるものとなっている。
　三島の技法は普通、有色粘土に窪みをつけたものに白色粘土を象嵌（ぞうがん）したものをいう。本作品はその技法をまったく逆にしたものだ。白色粘土の素地に花印を押し黒化粧土を埋め、その上から透明系の黄釉で仕上げてある。そのため、全体的にやわらかい雰囲気の三島作品になっている。また、花印はどれもが丁寧でそして確かな技術で押されており、品の高い作品となっている。
　次回作も大いに期待を持たせる仕事ぶりである。

評－親川　唐白（会員）

浦添市長賞

ポーズするゴリラたち
右(H32×W18×D21) 中(H27×W18.5×D27) 左(H23.5×W18.2×D14.5)
嶺井　律子

うるま市長賞

飴釉黍穂文丸壺(H34.5×W36×D36)　金城　英樹

e-no 株式会社賞

女神を喰らう獣（H43×W60×D43）　上原　真衣

漆芸部門

総評ー照喜名　朝夫（会員）

　今回の応募は一般6人、6点、準会員1人、1点でした。前回、第71回の応募状況と比べるとそれぞれ半減近い結果となり、いささか寂しい状況です。

　漆芸は熟練された高度な技術、意匠力が求められますが、それを習得するのには長い時間が必要で、そこが出品するか否かの壁になっているのかなと考えています。

　審査の結果、準会員賞1点、奨励賞1点、浦添市長賞1点、うるま市長賞1点となりました。皆様おめでとうございます。

　西原郭行さんの浦添市長賞受賞作《花器》。丸みのある作品で沈金刀が滑って沈金を施すのは難しかったと思いますがよく彫りました。正面に一羽、背面に三羽の鶴が描かれ下部の波模様は亀を連想させる吉祥紋です。その丸みのある形状と艶やかな呂色があいまって周りの景色や照明の明かりが多く映り込み、せっかくの加飾が鑑賞しにくくなっているのは残念でした。"かたち"を工夫するとまた、新たな展開ができて面白いと思います。

　兼次幸子さんのうるま市長賞受賞作《琉球堆紅石目塗り文箱「垂乳根」》。枝から気根が垂れ下がっている様子から堂々とした大木で老木のイチョウと分かり、スポットライトが当たったように円形の中に描いています。石目塗、石目地はもっと研究すると面白くなると思います。ザックリとした仕上がりの中に上品さが醸し出されたら成功です。

　嬉しいこととして挙げたいのが新会員の誕生です。準会員賞となった宇野里依子さんの作品は確かな技術、類いまれな造形力が相まって素晴らしいものとなっています。多くの会員の賛同により準会員賞と決まり、合わせて会員への推挙となりました。誠におめでとうございます。益々のご活躍、素敵な作品がどんどん生まれますよう期待します。

会員作品

favorite song	糸　数　政　次
大葉漆絵丸盆	大見謝　恒　雄
東道盆龍鳳凰五色雲	後　間　義　雄
蒔絵箱「島・しま・縞」	照喜名　朝　夫
乾漆輪花鉢	前　田　國　男
風香華舞	前　田　貴　子
東道盆（蘭模様）	松　田　　勲

準会員賞

深在	宇　野　里依子

奨励賞

木皮絞漆皿	新　城　和　也

浦添市長賞

花器	西　原　郭　行

うるま市長賞

琉球堆紅石目塗り　文箱「垂乳根」	兼　次　幸　子

一般入選作品

栃拭漆丸皿4点セット	大　城　清　善
乾漆螺鈿椰子皮後藤塗花器	津　波　静　子
乾漆ヤシ皮朱塗花器	津　波　敏　雄

東道盆龍鳳凰五色雲（H18×W47×D40.8）**後間　義雄**（会員）

蒔絵箱「島・しま・縞」（H15×W22×D26）
照喜名　朝夫（会員）

東道盆（蘭模様）（H19×W41×D36）**松田　勲**（会員）

準会員賞

深在（H17×W33×D33）宇野　里依子（準会員）

　初出品から順調に賞を積み重ねて今回で2度目の準会員賞おめでとうございます。
　受賞作《深在》は乾漆の技法で制作。土台を石膏で形作り、その上に麻布を4枚貼り合わせ、漆を塗って仕上げてある。丸みを帯びた形とひだのある形がマッチし、奥深い影がとても面白い。美しい器物の頂点部は真ん中より少しずらし形に変化を与えている。螺鈿を控えめに施しているのも心地良い。難しい技を上手くクリアしているが、表面の磨きが少し足りなかった感が否めないのが残念だ。
　乾漆技法は漆芸の中でも自由な形と大きさで作ることができ、作家の発想を広げることができる。作者は香川県漆芸研究所で4年間学んで基礎をしっかり身につけ、現在の位置までたどりついた。
　今後も沖縄の風土、文化、素材にこだわったものづくりを追求してほしい。大いに期待すると同時に会員推挙にも祝意を表したい。

評－前田　國男（会員）

奨励賞

木皮絞漆皿　上(H4×W35×D10)　下(H4×W13.5×D6)　新城　和也

初出品での奨励賞、受賞おめでとうございます。

作品は、相思樹の木皮を素地として皿を成形し、裏側は木皮をそのまま活かした塗りで、表側は麻布で布着せを施して下地にニービを使い、変わり塗り技法である「鱛塗」で仕上げている。

鱛塗とは、中塗り研ぎした面に蝋色漆または彩漆を塗り、漆を乾燥させる漆風呂に入れて塗膜硬化を調整する技法だ。硬化状態に気を付けながら漆の塗面に息を吹きかけ、微かに白い息になった時に、卵の卵白を柔らかい刷毛で表面に塗る。うちわやドライヤーなどで風を送ると、水分が蒸発した卵白が皮を張るように硬くなって漆の表面に亀裂が生じる。十分に硬化した後、卵白を水で洗い流すと塗面が鱛割れた状態になるのだ。

鱛割れの溝に黄漆を埋め、再び研ぎ出して平たく滑らかにした後、木地呂漆を塗って磨いて艶を上げる蝋色仕上げとした。

技術的に優れており、次回の出品も楽しみだ。

評－糸数　政次（会員）

浦添市長賞

花器　（H26×W23×D23）
西原　郭行

うるま市長賞

琉球堆紅石目塗り文箱「垂乳根」（H10×W26×D36）
兼次　幸子

染色部門

総評ー宮城　守男（会員）

　令和初の染色部門は、一般21点（うち学生2点）、準会員1点、計22点の応募がありました。準会員は少ないものの近年一般の出品は増え、年齢層は20～70歳代、初出品も多く、さまざまな技法・個性豊かな作品が集まり審査も活気にあふれました。

　基本的な技術を備え独自の表現を目指している出品者が多くとても好ましいですが、表現を高めようと挑戦するほど、より確かな技術が必要です。染色は糊つぶれ・色のノリ・滲み・ムラなど、作者の技量が出やすい分野です。技術だけを見るわけではありませんが、優れた発想・デザインも技術が伴わないと、良さが存分に発揮されず残念です。よく試作をし、丁寧な仕事を心がけてください。

　そして受賞された皆さん、おめでとうございます。出品のたび、個性が確立されてきているように感じます。奨励賞は個々に講評があるので割愛しますが、今回から特別賞は総評で触れることになったため、以下に続けます。

　浦添市長賞の瑞慶山和子さんはここ数年着物の力作を出品されており、今回も力強く茂る天人花を白地型と染地型で市松に染め分けたデザインと萌黄（もえぎ）の地色が目を引きました。あとざしがやや滲んだものの、難しい染地の色さしも丁寧で、手間を惜しまない作者の制作に対する熱が伝わってきます。図案が切れないようぜひ柄合わせにも挑戦してください。

　うるま市長賞の平良武さんは、昨年の琉球藍型に続き紅入藍型帯に挑戦されました。藍地に桜蘭の花がかわいらしく浮かび、リズムよく配された白地と藍の濃淡がシンプルな図案にメリハリを与えました。つる性の茎でうまく動きをだしていますが、特徴的な花芯やつぼみも加えるとより表情豊かになるでしょう。着物も考慮した型構成に見受けられました、次回作も期待しています。

　受賞作以外にも可能性を感じさせる作品がありました。出品し続けるのは大変ですが、沖展は発表・研鑽の場です。解説会なども積極的に利用し客観的視点を養い、よりよい創作活動に繋げてください。力作を待っています。

会員作品

琉球紅入藍型帯「すくあしび」――――城　間　栄　市
紅型着物「海風」――――仲　松　　格
タペストリー「Succulents（サキュレント）」――外　間　　修
紅型全通帯「きつねのぼたん」――――外　間　裕　子
紅型筒引両面染「松竹梅マルハチ紋うちくい」――宮　城　守　男
紅型着物「カンピレーぬイバンツィ」――――迎　里　　勝

準会員作品

紅入り藍型「七宝花繋ぎ模様」――――亘　保　　聡

奨励賞

三枚朧型着物「時雨」――――知　念　冬　馬
紅型着物「ヒストリー」――――永　吉　剛　大

浦添市長賞

紅型着物「天人花の花咲く頃」――――瑞慶山　和　子

うるま市長賞

紅入藍型全通帯「桜蘭（サクララン）」――――平　良　　武

一般入選作品

藍型着物「うりずん」――――新　川　雅　俊
紅型全通帯「琉花の躍り」――――上江田　美　希
タペストリー「漉き船に華ひらく」――――浦　川　愛　菜
紅型全通帯「雨のち曇りテイキング桜の陽」――大　城　章　子
紅型全通帯「おもちゃ箱」――――大　城　はるか
紅型全通帯「CROTON」――――神　谷　明　子
紅型訪問着「香気芳芳」――――金　城　な央み
紅型全通帯「悠渚」――――小　泉　美　里
紅型全通帯「モモタマナ　木陰とちぎれ雲」――平　良　幸　子
紅型額装「シーサー」――――田　幸　麻　衣
紅型全通帯「夜市」――――當　眞　　愛
タペストリー「カトレア」――――當　山　雄　二
紅型全通帯「伊豆味、勝山～ヤンバルみかん山」――福　田　貴　子
タペストリー
「緑の風の贈り物伸びろよ伸びろ天まで伸びろ」――真境名　照　子
紅型全通帯「カタバミの小径」――――松　本　純　子

紅型着物「海風」（178×148）
仲松　格（会員）

琉球紅入藍型帯「すくあしび」（550×34）
城間　栄市（会員）

紅型全通帯「きつねのぼたん」（510×37）
外間　裕子（会員）

紅型筒引両面染 「松竹梅マルハチ紋うちくい」（96×96）
宮城　守男（会員）

紅入り藍型 「七宝花繋ぎ模様」（180×136）
宜保　聡（準会員）

奨励賞

紅型着物「ヒストリー」（180×136）
永吉　剛大

　薄いベージュで地染めされた着物は、初めにパッと目に入る多色に展開された円の小紋と、横に流れるように配した帯の紋様の構成で幾何学模様にも感じられる図案になっています。

　全体を見ると感じの良い雰囲気を醸し出す作品で、近づいてじっくり見ると横に流れる長方形は染物の道具である張り木（ケタ）に生地が掛けられた図案で波打っています。貝かと思われた円の小紋柄は細かく見ると野球のグローブ（ミット）やバット等を図案化した丸紋に扇をデザインした丸模様で表現されていました。《ヒストリー》と題された当作品にはどのような物語が有るのかも尋ねてみたくなりました。

　配色や隈取りといった紅型の技法等も良く考慮されており、地染めと糊伏せも効果的に活かす事が出来ていると思いました。奨励賞受賞おめでとうございます。今までの出品作にも見られたデザイン的な模様や構成を次回作にも期待しています。

評－外間　修（会員）

奨励賞

三枚朧型着物「時雨」（170×136）
知念　冬馬

　奨励賞おめでとうございます。

　知念冬馬さんは今回で、3度目の奨励賞受賞となりました。今回の作品は「三枚朧（おぼろ）」という技法にもチャレンジし、苦労もあったかと思います。

　通常、柄を重ねて染める朧型では、その柄をあえて合わせない場合もありますが、知念さんは上手く合わせています。ブーゲンビレアはよく使われるありきたりな素材ですが、雨と合わせてシンプルな柄にすることで、しとしとと小雨が降る情景を生み出しました。三枚重ねに後差することで奥行きも生まれており、着物として着やすい仕上がりになっています。

　確かな技術、実力も評価に繋がり今回の受賞となりました。新しい技法に取り組むことは大変な労力が必要ですが、その上で自分らしい表現を大切に育てていってほしいと願います。

　次回作も楽しみにしています。

評－迎里　勝（会員）

浦添市長賞

紅型着物「天人花の花咲く頃」（170×152）
瑞慶山　和子

うるま市長賞

紅入藍型全通帯「桜蘭^{サクララン}」（500×38）
平良　武

織物部門

総評—新里　玲子（会員）

　一般応募21点、準会員4点の出品があり、一般応募からは沖展賞をはじめ5点の受賞作、13点が入選、準会員賞は1点の審査結果となった。

　織物部門で4年ぶりの沖展賞は八重山上布帯地の崎原克友さんが受賞した。多彩な経絣に薄黄色地の余白のバランスが美しく涼風のそよぎが心地よい。経絣の新たな表現が楽しみだ。モダンなデザインを特色とする能勢玲子さん、都会的な色使いによる知花織の金良美香さんの2人が奨励賞を受賞した。浦添市長賞は小禄紺地帯の上原八重子さん。藍経絣ずらしで、手括りならではの力強いデザインを生みだしている。うるま市長賞の福本理沙さんは手織りしじら織を復興させたいと織を学ぶ学生さんだとのこと、花紺地に経糸使いで生み出した「シボ」感が涼やかだ。

　準会員賞の桃原積子さんをはじめ久米島紬出品が数点あり、技量の高さを改めて見せてくれた。伝統色の濃い作品でありながらも細やかな創意工夫がみられ、経験豊かなつくり手であっても、新しい何かを生みだそうとの思いが伝わる。沖展が各地の伝統工芸の復興、そして新たな創造の場であることを再認識させてくれる。

　今年は選外となる作品が数点あった。わずかながらでも創意の跡が求められる作品、素材の魅力は伝わるものの、「用の美」の視点が欲しい作品、染ムラが景色として捉えられるかどうか評価が分かれる厳しい問いかけの作品もあった。

　公募展に出品することは心身ともに気力、体力が求められるように、作品を審査する側もエネルギーを要することを実感する。

　出品者の年代は20代〜70代と幅広い。伝統と創造の間で格闘する日々で、糸一本一本織り成して生まれる作品を出品することは意欲の表出であり、敬意を表したい。入落に一喜一憂することなく継続出品することが次へのステップとなる。自問自答の中から作品の深化へとつながることと念じ、次回の出品を期待する。

会員作品

上布縮着尺「月草の詠（エイ）」	新垣幸子
八重山上布着尺「森の夜明け」	糸数江美子
琉球絣着尺「総絣十字入チョウバン6玉」	大城一夫
着物「深い海」	祝嶺恭子
上布帯「夕映えの海」	新里玲子
芭蕉布九寸帯地「九年母地花織グバン」	平良敏子
花織帯地「風薫る」	多和田淑子
絣に花織	長嶺亨子
絣織着尺「憧景」	真栄城興茂
市松花織着物「紫雲」	和宇慶むつみ

準会員賞

久米島紬着尺「マルブサー・ミズー玉」	桃原積子

準会員作品

首里織帯地「晩秋」	伊藤峯子
手花織着尺「祈り」	島袋領子
芭蕉布九寸帯地「元禄」	鈴木隆太

沖展賞

八重山上布着尺「彩雲」	崎原克友

奨励賞

知花花織着尺「sou」	金良美香
墨染め着物「SHADOWS AND LIGHT」	能勢玲子

浦添市長賞

小禄クンジー　九寸帯	上原八重子

うるま市長賞

しじら織・絣着物「Ring of sea」	福本理沙

一般入選作品

経ずらし絣タペストリー「上昇」	上原悠加
八重山ミンサー半巾帯	上森佐和子
久米島紬着尺「八十八絣　トリ4玉」	幸地綾子
着尺「夕陽と湧泉」	近藤ゆき
経浮花織絣着物「トックリキワタの咲く道」	澤村佳世
手花織帯地「希（まれ）」（かさなり合う想い）	玉城恵
久米島紬着物「潮騒」	仲地洋子
道屯花織帯地「再建」	中野夢
小禄クンジー布地	長嶺民子
首里花織・ロートン織帯地「冬椿」	比嘉麻南
ハイオ織　ドゥジン	平田和子
首里ヤシラミ両面浮花織帯地「花碁」	宮城かおり
絣・花織着物「連檣」	吉浜博子

琉球絣着尺「総絣十字入チョウバン 6 玉」（1300×38）
大城　一夫（会員）

芭蕉布九寸帯地「九年母地花織グバン」（500×37）
平良　敏子（会員）

着物「深い海」（180×160）
祝嶺　恭子（会員）

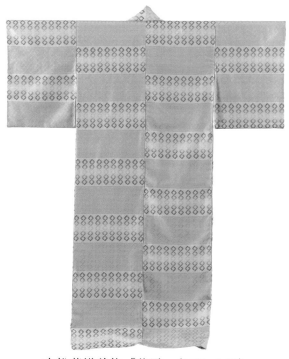

市松花織着物「紫雲」（178×140）
和宇慶　むつみ（会員）

上布帯「夕映えの海」（520×36.5）
新里　玲子（会員）

久米島紬着尺「マルブサー・ミズ一玉」(1280×38.5)
桃原　積子（準会員）

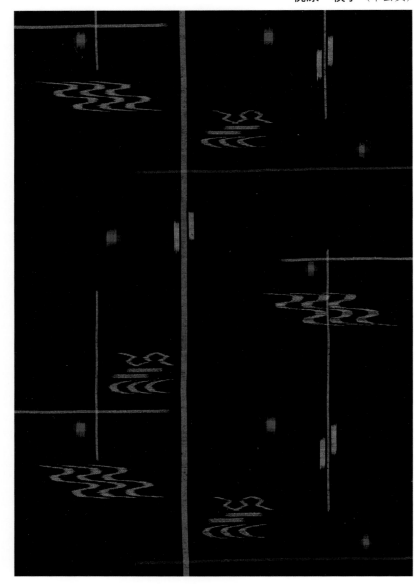

　絣柄の大きさ、分量などが実に絶妙で、デザインが良く出来ている。経絣と経緯合わせた絣は控え目に配置し、緯絣はやわらかな曲線の柄で構成しており、いずれの柄も丁寧に美しく織り込まれ、絣織の良さと醍醐味を見る者に与える。

　配色も素晴らしく、天然染料のグール、ティカチ、ヤマモモ、クルボーそして、さりげなく琉球藍を用いて絣になる糸を染め分けし、それぞれの色が久米島紬特有の褐色の地色に映え、心豊かな気持ちになる。

　じっくり見ると、十字絣の大きさを変える工夫なども有り、作品の奥行の深さをより感じさせる。敢えてシンプルな雰囲気の作品に仕上げてはいるが、全工程に緻密な計算がなされ、それを高い技術力で制作し、紬の風合いの良さもいかんなく発揮されている。

　長年、久米島で素材に向き合い、染め織りに研鑽を重ねた、作者の真摯な人柄と重なり合う、清々しい作品である。

評－真栄城　興茂（会員）

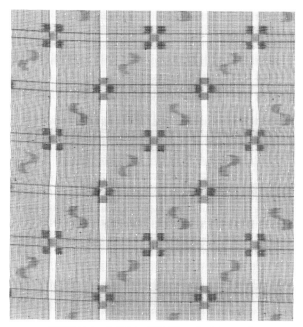

芭蕉布九寸帯地「元禄」（500×40）
鈴木　隆太（準会員）

首里織帯地「晩秋」（510×35）
伊藤　峯子（準会員）

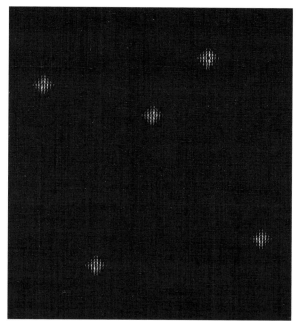

手花織着尺「祈り」（1300×39）
島袋　領子（準会員）

八重山上布着尺「彩雲」（1300×40）
崎原　克友

沖展賞

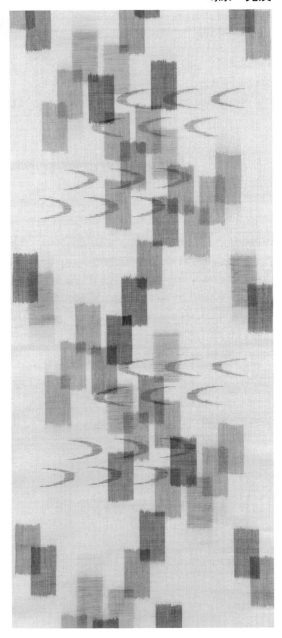

　経絣の重ねの部分で色合いの変化ができ、「地括り」の技法を用いて福木・八重山藍・インド茜・楊梅（ヤマモモ）と染色しては括りを繰り返し、緯絣の「ビーマ」を重ねることで雲の動きが感じられる。作品名の《彩雲》にマッチした爽やかでやさしい作品になっていると思う。
　地色の部分に色うつりもなく一つ一つの工程が丁寧に進められたのがうかがわれる。このような確かな染・織の技術が評価され沖展賞に値するすばらしい作品である。
　2度の奨励賞に続き、今回の受賞で準会員に推挙されたことは喜ばしく、これからの創作作品を期待しております。

評－糸数　江美子（会員）

116

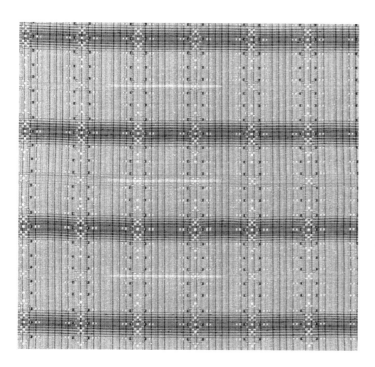

奨励賞

知花花織着尺「sou」（1300×39）
金良　美香

　薄いグレー地を基調に赤や黄、その他の色を経に配し、地の部分にこまかく変化をつけることで、インド茜を中心とした知花花織特有の経浮花織をより引き立てています。
　緯にグレーの濃淡でまとめた縞や福木の緯絣のデザインは横段にすることによってモダンで、オシャレな感じに品良く仕上がっています。難を言えば黄色の緯絣にもうひと工夫ほしいところです。
　タイトルの《sou》は着る側に寄り添うという意味を含んでいるのでしょうか。
　金良さんは2012年に続いて、2度目の奨励賞受賞。浦添市長賞やうるま市長賞2度などの特別賞受賞歴もあり、知花花織を担っていく上で将来有望な人材です。次回作も楽しみにしています。

評－長嶺　亨子（会員）

奨励賞

墨染め着物「SHADOWS AND LIGHT」
（175×140）
能勢　玲子

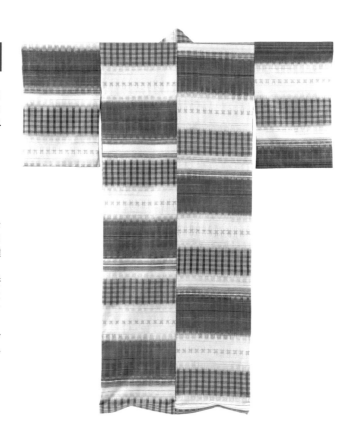

　2度目の奨励賞、受賞おめでとうございます。
　作品名《墨染め着物「SHADOWS AND LIGHT」》の通り、珍しい墨染の作品に斬新な印象を受けました。藍染ではなかなか出せないグレーの色の変化が印象深いです。市松模様の境目を墨で染めることで単純な黒でなく、ぼかしを出していて、難しい技法に挑んだことでしょう。
　経を藍染と墨染、福木染で市松風に変化をつけることで、絣足もうまく出ています。緯絣に濃淡の絣を入れた事で現代風に仕上がっていて、技術的にも高い作品です。新しい絣を使っているところも新鮮でした。
　大きな市松風の柄に強弱をつける感じで福木が入りハタガニーの絣で括っている柄がポイントになっていますが、もう少し意匠を工夫すればもっと良い作品に仕上がると感じました。
　今後のご活躍に期待します。

評－大城　一夫（会員）

浦添市長賞

小禄クンジー　九寸帯（540×35）
上原　八重子

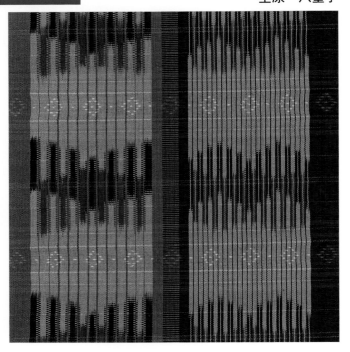

うるま市長賞

しじら織・絣着物「Ring of sea」（168×160）
福本　理沙

ガラス部門

総評ー末吉　清一（会員）

　昨年71回展に比べ、一般応募者数で、マイナス9名、応募点数でマイナス15点、準会員応募数マイナス3名、点数でマイナス4点という状況での審査となり、厳正な審査の結果、沖展賞の受賞者は出ませんでした。

　奨励賞に我謝良秀さんの《八咫ガラス》、友利龍さんの《水影〜ウミンチュ〜》が選ばれました。

　我謝さんの《八咫ガラス》は、彼がこの10年ほど追求している銀箔を用いた大壺で、色の変化を微妙に表現し、壺の足を3本、本体から直接引っ張り込むという難しい技術にもチャレンジし、器そのものを深みのある作品に仕上がっています。

　友利さんの《水影〜ウミンチュ〜》は、人間の頭部をモチーフにした作品で、宙吹きでリアルに細部まで表現するのは、技術と忍耐がいることでしょう。特に耳と顎のシャープなラインは秀逸です。友利さんの作品群を見るにつけ、常に新しいことへの追求に邁進している姿勢が評価されていると感じます。奨励賞の2人は、準会員に推挙されましたので、今までの路線を追求するのか、新しいことへ挑戦するのか、苦労は付きものですが、今後の作品に大いに期待します。

　浦添市長賞に松本栄さんの《エアツイストワイングラスセット》、うるま市長賞に外間健太さんの《琉球鏡玉セット》が入賞しました。

　松本さんの作品は、グラスの足の部分に気泡を入れ、ネジリを付けて仕上げています。デカンタの蓋の部分も重く、どっしりとして、ぐらつきがなくグラスと合わせて、高い技術と感性を感じる作品です。再生ガラス独特の温もりを感じます。

　外間さんの作品も気泡を用いていますが、ハチの巣のような無数の泡を、型を使って入れ、全体の形を丸型にすることで、泡の形状を崩さないように工夫した作品です。紫とオレンジの対比で見てみたい作品でもあります。浦添、うるま両市長賞の2人は、初の入賞ですので審査員一同嬉しく、今後の作品に期待します。

会員作品

塵旋風2個セット	大城　尚也
M78 星雲	末吉　清一
ほしのろんど	比嘉　裕一

準会員作品

美ら花水差しセット	松田　豊彦

奨励賞

八咫ガラス	我謝　良秀
水影〜ウミンチュ〜	友利　龍

浦添市長賞

エアツイストワイングラスセット	松本　栄

うるま市長賞

琉球鏡玉セット	外間　健太

一般入選作品

流れ	兼島　まち子
夕波	菊地　善仁
月の道	菊地　善仁
荒波　刺身皿セット	佐久川　亮
ガラスの彫刻絵「壊れても復活できる」	砂川　泰典
紺水緑樹	玉城　晃
生きる（恥の上塗り）	知花　信
かすみ草　感謝　for wedding	當山　みどり
銀青	中野　幸治
パーティーセット　上下関係	東恩納　司
魂のルフラン	外間　健太
アースランプ	松田　英吉
アース皿セット	松田　英吉
kutsuhimo	宮城　友紀

塵旋風 2 個セット （H25×W25×D25）
大城　尚也（会員）

M78 星雲 （H50×W50×D15）
末吉　清一（会員）

ほしのろんど
赤（H52×W20×D20）　青（H54×W21×D14）
比嘉　裕一（会員）

美ら花水差しセット　　水差し（H20.5×W18.5×D18.5）
アイスペール（H15.0×W18.0×D18.0）
グラス（H11.0×W13.0×D13.0）
松田　豊彦（準会員）

八咫ガラス （H36×W30×D30）
我謝　良秀

　我謝さん、奨励賞おめでとうございます。
　今回の受賞作品のタイトルは「八咫ガラス」とありますが、それは日本神話に登場するカラスの事です。サッカー日本代表のシンボルマークでもある「八咫ガラス」は目的地へと安全に導く優れたナビゲーターです。受賞へと安全に導いて欲しいという願いが託されていると思います。
　今回の作品は、白いガラスの砥と黒を巧みに組み合わせ、それを銀箔で巻き込んで吹き込むことで、銀箔が散って隙間から見られる黒や砥が見事な色彩を生み出しています。さらに重量感がありこれだけの大物を丁寧にまとめていて、我謝さんの技術の高さを感じられます。
　特に私自身が凄く好きな所は、八咫ガラス同様に三足の高台です。制作には、至難の技法が必要で繊細な注意のもとに作り上げた作品だと思いました。三足の高台が個性的で作品の質をさらに引き上げています。我謝さんは、今回で準会員に推挙となり今後に期待します。

評－大城　尚也（会員）

奨励賞

水影〜ウミンチュ〜　（H36×W25×D26）
友利　龍

　宙吹き技法で（沖展において）頭部を制作した作品は初めてではないでしょうか。
　対面するとまず視線を向ける「顔」は、ありふれたモチーフのように感じられがちですが、多彩な表情の源は魅力的である一方、その要素を詰め込みすぎるとバランスを取ることが難しい題材です。
　作品は、漁師が潮騒に耳を傾けているようで、自然の大切さを改めて知ってほしいという友利さんの思いが込められているとのことで、果敢に取り組んだ力作です。
　前回の沖展賞受賞作「守り神〜白龍〜」の神秘的で華やかな手法とは違い、焼き温めて柔らかくなった部分を成形、その形状を冷まして保持…の繰り返しが、熟練工のような雰囲気を持って作品に厚みを与えています。
　研磨加工で自ら仕上げをするこだわりは、確かな完成イメージを持って制作を進めていることが感じ取れます。
　そのイメージ力・技術力が、次は何を想像・表現するのか…、本当に楽しみです。準会員というステージでも、思う存分実力を発揮してください。

評－比嘉　裕一（会員）

浦添市長賞

エアツイストワイングラスセット　　　デカンタ（H34×W14×D14）
松本　栄　　　　　　　　　　　　　　グラス（H16×W7×D7）

うるま市長賞

琉球鏡玉セット　（H25×W27×D27）
外間　健太

木工芸部門

総評－西村　貞雄（会員）

　木工芸が創設されて昨年で10年目を迎えた。当初審査員5人で審査に当たったが、この間新たに会員4人、準会員4人が育って発展してきた。

　さて、今回は一般応募者17人（24点）、準会員1人（2点）の応募があった。昨年から3点減少したのは学生の応募がなかったからだが、2点出品する応募者が7人もいて情熱を感じさせられた。準会員は4人のうち、出品1人という状況なので今後奮起してほしい。

　一般応募では屋部忠氏が沖展賞に輝いた。米杉や米ヒバ材を駆使し、桜の花の浮彫りと材質の組み合わせが爽やかさを感じさせる。奨励賞は2人が受賞。野田洋氏は2度目の受賞で準会員に推挙された。琉球松を素材に「ろくろ」の技法でユニークな作品だ。初出品の矢久保圭氏《ヴァイオリン》も受賞した。楽器の受賞は前代未聞。過去応募の「三線」は創作という視点で議論されたことがあったが、今回は技術的に高いものがあると評価された。

　浦添市長賞は川崎哲哉氏の《椅子作品　七》が受賞。前回は沖展賞に輝いた実績をもつ作家だ。材質の扱い方や指物技術が素晴らしい。椅子の座面・背もたれ・重量に耐えるなど機能性が要求される中にデザインの発想が加味されている。

　うるま市長賞は漢那憲次氏の《玉手箱》が受賞した。入選歴6回で奨励賞受賞歴もある常連の作家で今回は朴（ほお）の木を沈め彫りで見事に調和させた。素材の扱いも丁寧だ。てらった感じをださない秀作である。

　審査の際、「ビス止め」があまりにも安易と話題になった。技術が要求されるこの部門では論外だ。また、テーマに「松竹梅」とした作品はコンセプトを明確にすることが疑問視された。組木や曲げ、象嵌、寄せ木など木工芸としての妙味があることがこの部門の特色だ。趣味的な作品、手工芸・カルチャー的な作品は選外になることを認識してほしい。当部門は木工家らと「物作りの目標となる機会が必要だ」と要請があり新設された。次回に向け応募が増えることを念じている。

会員作品

寄木お皿セット	奥　間　政　仁
後藤塗 小整理タンス　3点セット	津　波　敏　雄

準会員作品

トンコリ	與那嶺　勝　正
花器（朝霧）	與那嶺　勝　正

沖展賞

春	屋　部　　　忠

奨励賞

琉球松輪飾皿	野　田　　　洋
ヴァイオリン	矢久保　　　圭

浦添市長賞

椅子作品　七	川　崎　哲　哉

うるま市長賞

玉手箱	漢　那　憲　次

一般入選作品

昭和感漂う水屋	勝　連　邦　彦
KOKONI	小橋川　剛　右
スター	玉　城　正　昌
交わり	玉　城　正　昌
木彫　長角盆（月桃）	照　屋　盛　人
鳥カゴ①	當　山　全　栄
鳥カゴ②	當　山　全　栄
脳卒中による上肢機能・発達障害による認知機能等のリハビリテーション用ペグボート。	
インテリアとしても…	比　嘉　亮　太
卓上箸箱、箸置きセット	プレグマン　ドナルド
まな板	プレグマン　ドナルド
がじゅまるの灯り	眞喜志　英　夫
黒木のウェーブ	眞喜志　英　夫
松竹梅	松　田　　　聡
衝立	松　田　　　聡
三味線立（桑）	松　田　　　忠
三味線立（センダン）	松　田　　　忠
アカギベンチ	屋　宜　政　廣

後藤塗 小整理タンス 3 点セット　大（H52×W38.5×D30.5）
　　　　　　　　　　　　　　　　中（H37.5×W38.5×D30.5）
　　　　　　　　　　　　　　　　小（H26×W38.5×D30.5）
　　　　　　　　　　　　　　　　　　　　津波　敏雄（会員）

トンコリ　（H110×W15×D25）
　　　　　　與那嶺　勝正（準会員）

寄木お皿セット　　大（H2×W30×D30）
　　　　　　　　　小（H2×W15×D15）
　　　　　　　　　　　奥間　政仁（会員）

沖展賞

春　（H45.8×W122.5×D30）　屋部　忠

米ヒバ、米スギ材を使用した欄間作品が沖展賞を受賞しました。

審査では屋部忠氏の作品と野田洋氏の作品が沖展賞候補となり、3度の投票を踏まえた上で全審査員の協議によって決まりました。欄間は昔の建築物では多用され、一般の住宅でも常日ごろ目にしましたが、最近の建築物ではほとんど見られなくなりました。このような技術を残していくのは非常に重要と考えているだけに、若い作家が取り組んだことに感銘を受けています。

受賞作は彫、組子、塗装、指物技術を駆使した作品です。組みは高い技術と相当の集中力が必要で、研鑽を積んできた成果が出ています。塗装もきれいに仕上がっており、組む前にそれぞれの木に塗装を施したのではないかと考えます。欄間中央の桜はアクセントとなって個性が出ていますが、彫り込んで作ることができればなお素晴らしかったのではないかと感じました。

来年も精進して連続受賞に挑戦してください。期待しています。

評－津波　敏雄（会員）

奨励賞

琉球松輪飾皿　（H55×W35×D30）
野田　洋

　沖縄県の県木である琉球松で製作された野田洋さんの《琉球松輪飾皿》は、木工ロクロの技法技術を用い、高度の技術力を生かした、あそび心をさそいこむような作品です。まず1枚の板を使い、輪をいくつも作り、クサリ状につなげて仕上げられている所などまさに知恵の輪的存在です。それに丸盆を取り付けている所もさすがで、いつまで見続けても、またどこから見ても、見飽きしないすばらしい作品です。
　今後ますますの御活躍を期待しています。

評－戸眞伊　擴（会員）

奨励賞

ヴァイオリン　（H60×W21×D11）
矢久保　圭

　奨励賞を受賞した矢久保氏は若い頃から物作りが好きで、籐のカゴ編み、工芸品、家具製作に携わったという。21歳ごろ、たまたまジャズのヴァイオリンを聴いて自分でも奏でると、楽器そのものを作りたくなり独学で製作を始めた。2009年ヴァイオリンで有名なイタリア・クレモナの製作学校に入学。並々ならぬ努力を重ね、イタリアの弦楽器製作コンクールでチェロを出品。11年2位、12年1位と、渡伊して僅か2年で偉業を成し遂げた。14年にはビオラ、ヴァイオリンでも受賞している。
　「伝統的な技術を守りつつも、自分の経験を生かしていきたい」という。ネックの渦巻きや、「f」と呼ばれる響孔の形は作り手の個性が出る部分だそうだ。「一つひとつの異なる美しさや豊かな表現がある。楽器の個性を生み出す要素としての木の持ち味を生かし美しい楽器へと昇華させたい」という意図が作品に込められている。氏の卓越した弦楽器製作の技術を生かした木工芸作品に大いに期待している。

評－奥間　政仁（会員）

浦添市長賞

椅子作品 七 　（H75×W43×D46）川崎　哲哉

玉手箱 　（H19.5×W25.5×D18.3）
漢那　憲次

うるま市長賞

物故会員　略歴

<ruby>上江洲<rt>うえず</rt></ruby> <ruby>茂生<rt>しげお</rt></ruby>（1949〜2019）

　1949年那覇市生まれ。1970年、小橋川永昌氏に師事。'79年から沖展会員。'80年に独立して読谷村座喜味に築窯。'98年に沖縄タイムス芸術選賞・工芸部門大賞。2004年度県工芸士に認定。壺屋焼の伝統と技法にこだわり、厨子甕制作のスペシャリストとして県内外から高い評価をうけた。

（略歴）

1949年（昭和24年）	那覇市生まれ
1970年（昭和45年）	小橋川永昌氏に師事
1972年（昭和47年）	第24回沖展 奨励賞受賞
1975年（昭和50年）	第27回沖展 沖展賞受賞 準会員推挙
1979年（昭和54年）	第31回沖展 準会員賞受賞 会員推挙
1980年（昭和55年）	読谷村座喜味に登り窯を築く
1990年（平成2年）	第24回沖縄タイムス芸術選賞奨励賞受賞
1998年（平成10年）	第32回沖縄タイムス芸術選賞大賞受賞
2005年（平成17年）	沖縄県工芸士認定
2019年（令和元年）	7月9日没（享年70歳）

<ruby>城間<rt>しろま</rt></ruby> <ruby>喜宏<rt>きこう</rt></ruby>（1935〜2019）

　1935年那覇市生まれ。1962年に大浜用光氏、大嶺實清氏らと「グループ耕」を結成し、前衛絵画活動を行った。'70年に沖縄新象作家協会結成の中核となった。国内外で展覧会を重ね、'83年にサロン・ドートンヌ会員となった。沖縄県文化協会会長、沖縄県美術家連盟会長などを歴任した。

（略歴）

1935年（昭和10年）	那覇市生まれ
1962年（昭和37年）	大浜用光氏、大嶺實清氏らと「グループ耕」結成
1963年（昭和38年）	第15回沖展 準会員賞受賞
1965年（昭和40年）	第17回沖展 準会員賞受賞 会員推挙
1967年（昭和42年）	第10回新象展『饒舌1』『饒舌2』初入選
1970年（昭和45年）	「沖縄新象作家協会」結成
1982年（昭和57年）	第21回個展ギャルリーチェキ（スイス・ジュネーブ）
1983年（昭和58年）	サロン・ドートンヌ会員（フランス・パリ）
1984年（昭和59年）	第18回沖縄タイムス芸術選賞大賞受賞
2004年（平成16年）	沖縄県文化功労賞受賞
2019年（令和元年）	12月24日没（享年84歳）

豊平　信則（とよひら　のぶのり）（1942〜2019）

　1942年石垣市生まれ。漢字を吉田栖堂氏、定歳静山氏、近代詩文書を吉田成堂氏に師事し、第13回沖展で初入選し、第31回沖展で沖展会員推挙。県所蔵の作品「萬國津梁之鐘銘屏風」や「国立劇場おきなわ」「沖縄都市モノレール株式会社」「沖縄大学」「南ぬ島石垣空港」などの碑文社名銘板を手掛けた。沖縄県書作家協会木筆會会長などを歴任し、後進の育成や中国との交流にも力を尽くした。

（略　歴）

1942年（昭和17年）	石垣市生まれ
1977年（昭和52年）	第29回沖展 沖展賞受賞準会員推挙
1979年（昭和54年）	第31回沖展 沖展準会員賞受賞会員推挙
1984年（昭和59年）	玄海展審査会員推挙 毎日展会員推挙
1993年（平成 5年）	第27回沖縄タイムス芸術選賞大賞受賞
2007年（平成19年）	沖縄県文化功労賞受賞
2012年（平成24年）	第56回沖縄タイムス賞文化賞受賞
2019年（令和元年）	11月22日（享年77歳）

仲本　朝信（なかもと　ちょうしん）（1927〜2019）

　1927年北谷町生まれ。謝花雲石氏より手ほどきを受ける。第10回沖展初入選。第52回沖展会員推挙。1996年県文化協会賞、2004年沖縄タイムス芸術選賞大賞、2008年瑞宝双光章を受賞。県書道美術振興会理事長、北谷町教育委員長、北谷町文化協会会長なども務めた。

（略　歴）

1927年（昭和 2年）	北谷町生まれ
1952年（昭和27年）	謝花雲石氏より手ほどきを受ける。
1958年（昭和33年）	第10回沖展 初入選
1980年（昭和55年）	第32回沖展 奨励賞受賞
1983年（昭和58年）	第35回沖展 沖展賞受賞 準会員推挙
1987年（昭和62年）	第21回沖縄タイムス芸術選賞奨励賞受賞
1996年（平成 8年）	沖縄県文化協会賞受賞
2000年（平成12年）	第52回沖展 準会員賞受賞 会員推挙
2004年（平成16年）	第38回沖縄タイムス芸術選賞大賞受賞
2019年（令和元年）	5月5日没（享年93歳）

沖展のあゆみ

第1回 （1949年）
沖縄タイムス創刊1周年記念事業として発足。7月2日～3日、崇元寺旧本社。第一部絵画審査作品20点、第二部招待30点、第三部公募18点、計68点。
〔入賞〕（絵画）大村徳恵

第2回 （1950年）
10月14日～16日、那覇高校同窓会館。絵画審査作品15点、公募54点、計69点。
〔入賞〕（絵画）大嶺信一、仲里勇、屋宜盛功

第3回 （1951年）
11月3日～5日、那覇琉米文化会館。今回からアンデパンダン展（無審査制）絵画60点、彫刻（新設）4点。一般投票で山元恵一、金城安太郎の両氏がそれぞれ1位を得た。

第4回 （1952年）
11月15日～17日、那覇琉米文化会館。前回と同じくアンデパンダン展。絵画82点、彫刻7点。
〔入賞〕（絵画）山里永吉
一般投票で大城皓也、柳光観の両氏が1位を得た。

第5回 （1953年）
3月27日～31日（今回から会期3日間を5日間に延長）、那覇高校新校舎。アンデパンダン展。絵画75点（はじめて米婦人の出品があった。）彫刻7点。

第6回 （1954年）
3月27日～31日、那覇高校。
アンデパンダン展を廃して審査制を復活。新たに沖展運営委員会を設ける。（委員）名渡山愛順、山田真山、山元恵一、山里永吉、仲里勇、嘉数能愛、末吉安久、安谷屋正義、玉那覇正吉、大城皓也、安次嶺金正、島田寛平、大嶺政寛（委員長）豊平良顕（本社）。絵画151点、彫刻10点、今回から新たに工芸部（織物、紅型、陶器、漆器、堆錦）計81点と書道部53点が新設。本土から絵画8氏の招待出品あり。
〔入賞〕（絵画）池原喜久雄、安次富長昭

第7回 （1955年）
3月26日～30日、壺屋小学校。
〔陳列〕絵画180点、彫刻12点、書道38点、工芸121点。今回

は南風原コレクション20点と中央画壇からの賛助出品17点、展示総点数388点。
島田寛平氏に本社から美育功労賞を贈る。
〔入賞〕（絵画）大城宏捷、榎本正治、高江洲盛一、金城清二郎、上原浩、当間辰、真座幸子（彫刻）宮城哲雄

第8回 （1956年）
3月24日～28日、壺屋小学校。
〔陳列〕南風原コレクションと本土から賛助出品（63点）の特別出品のほか絵画、彫刻、紅型、陶器、漆器、書道さらに今回から写真の部が新設された。絵画186点、彫刻13点、書道49点、工芸119点（紅型40点、陶器57点、漆器8点、玩具14点）写真（新設）108点。
〔入賞〕（絵画）当間幸雄、山里昌弘、大城喜代治、翁長以清、長田トヨ（紅型）渡嘉敷貞子（写真）池村誠博、恵常人、伊集盛吉（琉球玩具）崎山嗣昌（陶器）金城敏男（書道）池村恵祐、当間誠一

第9回 （1957年）
3月23日～27日、壺屋小学校。
〔陳列〕絵画215点、彫刻13点、工芸205点（紅型織物41点、陶器123点、漆器28点、玩具13点）書道67点、写真202点。ほかに絵画で沖縄ではじめてのフランス現代作家24人の38点を展示。書道では、日本書道連盟賛助出品10点、陶器と紅型では陶芸家、浜田庄司氏の2点、国画会々員芹沢銅介氏の紅型1点、写真では大阪の北斗クラブ主宰延永実氏ほか5人の36点や南風原コレクション20点が展示された。
〔入賞〕（絵画）大城栄誠、浦添健、安元賢治、深見桂子、下地明増、富川盛智、喜久村徳男、真喜屋謙、西平和子（彫刻）翁長自修、玉那覇清徳（書道）比嘉宗一、当間誠一、仲間輝久雄、井上光晴、島袋健光（写真）与understanding治、新条鉄太郎、松田清、ビル・ジ・バーナー、金城順一、田仲幹夫、山本達人、荒垣顕治（陶器）照屋陽、金城敏男、小橋川永弘、金城敏雄、翁長自修、島袋常一、島袋常明、小橋川永仁（紅型）城間道子、藤村玲子

第10回 （1958年）
創立10周年。3月23日～27日、壺屋小学校。
〔陳列〕絵画98点、彫刻13点、書道94点、写真85点、工芸183点、ほかに日本版画院作品特陳25点、総点数473点。
10周年を記念し大嶺政寛、大城皓也、山元恵一、名渡山愛順の4氏に沖展創立以来の運営委員としての功績をたたえて本社から感謝状と記念品を贈った。
〔入賞〕（絵画）岸本一夫、屋良朝春、浦添健（彫刻）大山勝、比嘉敏夫（書道）島耕爾、池村恵祐、新垣洋子（写真）鹿島義雄、安里芳郎、当真荘平、川平朝申、親泊康哲、新条鉄太郎（陶器）金城敏男、島袋常明

第11回 （1959年）

３月21日〜25日、壺屋小学校。

〔陳列〕絵画207点、彫刻21点、書道95点、写真150点、工芸283点、春陽会選抜新人５氏の作品、本土作家（郷土出身も含む）の絵画、陶器など33室に陳列。

開会中ジャパン・タイムス美術評論家エリゼグリー女史が来場し、出品作品に対し批評があった。

〔入賞〕（絵画）神山泰治、大嶺実清、下地明増、大宜味猛、下地寛清（彫刻）大城宏捷（書道）比嘉宗一、池村恵祐、宮平良昭、糸嶺篤順（写真）山本達人、安里キヨ子、幸地良一、比嘉良夫、太田文治、東風平朝正（陶器）新垣栄一、小橋川永仁、小橋川永弘、島袋常明

第12回 （1960年）

３月23日〜27日、壺屋小学校。

〔陳列〕絵画273点、彫刻20点、書道100点、写真130点、工芸214点。

ほかに本土作家の招待作品、早稲田大学の特別出品による埴輪、縄文土器などがあった。

〔入賞〕（絵画）嘉味田宗一、宮良薫、永山信春、島袋嘉博、西銘康展、三宅利雄、山城善光（彫刻）上原隆昭、宮城篤正、上原秀夫（書道）当間誠一、佐久本興鴻、宮平良顕、渡口美子、糸嶺篤順、金城広、金城美代子（写真）東風平朝正、金城吉男、宮平真英、伊集盛吉（陶器）島袋常明、大城将俊、大城宏捷、高江洲育男、島袋常恵、金城敏男（染色）糸数隆、嘉数幸子、城間栄順、宮城光子、嘉陽宗久、城間千鶴子（織物）真栄城興盛

第13回 （1961年）

３月30日〜４月３日、壺屋小学校。

〔陳列〕絵画238点、彫刻24点、書道90点、写真80点（うちカラー２点）工芸（陶器103点、織物43点、染色48点、漆器20点、玩具５点）計219点。このほか本土招待出品として朝日新聞社の選抜秀作美術展、棟方志功の版画作品、女子美術大学沖縄紅型絣伝統工芸研究グループ８人による作品、本土在住郷土出身の作品を特別陳列。

〔沖展賞〕（絵画）神山泰治（染色・織物）漢那貞子（書道）糸嶺篤順（陶器）金城敏男（写真）豊島貞雄

〔奨励賞〕（絵画）当間善光、城間喜宏、上原浩、安元賢治、永山信春、宮良薫（彫刻）喜久村徳男、上原隆昭、城間喜宏（染色・織物）嘉数幸子（書道）宮城政夫、定歳実勇、宮平清徳、池村恵祐、国吉芳子（陶器）島武巳、島袋常一、宮城安雄、高江洲育男（写真）中山東、照屋寛、名渡山愛誠

第14回 （1962年）

３月30日〜４月３日、壺屋小学校。

〔陳列〕絵画204点、彫刻23点、書道127点、写真124点、工芸（陶器75点、織物24点、染色61点、漆器18点、玩具１点、ガラス19点）計198点。ほかに日本民芸協会の作品154点、故南風原朝光氏の遺作22点、渡嘉敷貞子さんの紅型作品25点を特別陳列。

〔沖展賞〕（絵画）仲地唯渉（彫刻）玉栄宏芳（書道）定歳実勇（写真）大嶺実（陶器）島武巳（染色）城間千鶴子

〔奨励賞〕（絵画）城間喜宏、治谷文夫、塩田春雄、大浜用光、大嶺実清（彫刻）田港イソ子、上原隆昭（書道）宮良喬子、宮城政夫、玻名城泰雄、当間誠一、浦崎康哲（写真）金城吉男、宮平真英、永井博明、松島英夫、川平朝申（陶器）島袋常一、島袋常登、小橋川永勝（染色）儀間静子（織物）新垣ナヘ、山元文子

第15回 （1963年）

３月30日〜４月３日、壺屋小学校。

〔陳列〕絵画156点。彫刻17点、書道125点、写真103点、工芸（陶器55点、漆器14点、織物21点、染色31点、ガラス13点、玩具１点）137点、商業美術38点。

今回から会員、準会員、客員制度を設け、従来の本土作家の招待出品制を取りやめる。沖展15周年に当り、"市中パレード"や恒例の"カーミスーブ"を行なう。商業美術部を新設。15周年を記念し、創立以来運営委員として尽力した大嶺政寛、大城皓也の両氏に沖展功労賞を贈った。

〔準会員賞〕（絵画）城間喜宏（陶器）島袋常明（染色）知念績弘

〔沖展賞〕（絵画）丸山哲士（商業美術）岸本一夫（彫刻）玉栄宏芳（書道）定歳実勇（写真）石川清廉（陶器）島武巳

〔奨励賞〕（絵画）島袋嘉博、西銘康展、与座宗俊、具志堅誓謹（商業美術）志喜屋孝英、翁長自修、舟越興八、喜屋武安子（書道）糸洲朝薫、宮良喬子、国吉芳子、高良弘英（写真）豊島貞夫、松島英夫、金城吉男、中山東（陶器）新垣栄信（漆器）津波敏雄

第16回 （1964年）

３月28日〜４月２日、壺屋小学校。

〔陳列〕絵画155点、彫刻35点、商業美術39点、書道123点、写真119点、工芸（陶器90点、漆器６点、織物11点、染色32点、ガラス４点）計143点。"カーミスーブ"で陶芸家の浜田庄司氏が模範演技を披露。

〔準会員賞〕（絵画）治谷文夫、安元賢治、具志堅誓謹（商業美術）翁長自修、岸本一夫（書道）定歳実勇、糸嶺篤順（織物）平良敏子（染色）玉那覇道子

〔沖展賞〕（絵画）儀間朝健（彫刻）田港イソ子（商業美術）宮城祥（書道）糸洲朝薫（写真）伊波清孝（陶器）島袋常一

〔奨励賞〕（絵画）与座宗俊、喜友名朝紀（彫刻）平川勝成、宮里昌雄、友利直（商業美術）比嘉良仁、伊川栄治（書道）国吉芳子、石垣真吉、豊平信則、宮平清徳（写真）島耕爾、大城長流、松島英夫、根津正明（陶器）新垣薫、新垣栄一（漆器）津波敏雄、古波鮫唯一、原国政祥（染色）具志堅美也子、金城昌太郎

第17回 （1965年）

3月30日〜4月3日、壺屋小学校。

〔陳列〕絵画141点、彫刻23点、商業美術33点、書道87点、写真80点（うちカラー16点）、工芸（陶器37点、漆器27点、織物30点、染色32点、ガラス15点）計141点。"カーミスーブ"に加えて、八重山の書道グループによる獅子舞が特別参加。美術館建設のための署名も同会場で行なわれた。

〔準会員賞〕（絵画）安元賢治、治谷文夫、城間喜宏（商業美術）舟路興八（書道）池村恵祐、糸嶺篤順（写真）松島英夫（陶器）島袋常恵

〔沖展賞〕（絵画）渡慶次真由（商業美術）平敷慶秀（書道）糸洲朝薫（陶器）新垣栄世（漆器）前田孝允＝デザイン、有銘寛順＝製作（織物）宮平初子

〔奨励賞〕（絵画）稲嶺成祚、新城美代子、平良晃、大浜英治（彫刻）嘉味元平仁、富元明雄、与座宗俊（商業美術）伊川栄治、山田栄一、宮城保武、瀬底正憲、新垣正一（書道）吉峯弘祐、玻名城泰雄、下地喬子、飯田恒久（写真）中山竜男、新里紹正、備瀬和夫、伊波清孝（陶器）新垣栄信、小橋川永勝（漆器）前田孝允＝デザイン、大見謝恒正＝製作、嘉手納憑勇、長嶺但従（染色）城間栄順、嘉陽宗久（織物）与那嶺貞

第18回 （1966年）

3月30日〜4月3日までの5日間、壺屋小学校。

〔陳列〕絵画157点、彫刻38点、商業美術43点、書道96点、写真82点（うちカラー13点）、工芸（陶器73点、漆器25点、織物28点、染色33点、ガラス4点、玩具5点）計168点。

〔準会員賞〕（絵画）治谷文夫（彫刻）宮城哲雄（写真）小林昇（商業美術）比嘉良仁（陶器）島袋常恵（書道）池村恵祐（染色）城間栄順（織物）宮平初子

〔沖展賞〕（絵画）渡慶次真由（写真）島耕爾（商業美術）宮城保武（書道）玻名城泰雄（陶器）新垣栄世（漆器）前田孝允＝デザイン、原国政祥＝製作

〔奨励賞〕（絵画）和宇慶朝健、大浜英治、島袋嘉博（彫刻）平良昭隆、西村貞雄（写真）森幸次郎、曽根信一、中村幸裕、佐久川政功（商業美術）新垣正一、相羽立矢、仲元清輝（書道）上原せい子、上原彦一、与那覇よし子、金城順子、吉峯弘祐（陶器）国吉清尚、島袋常登、新垣勲（漆器）大見謝恒正、渡口政雄、有銘寛順（染色）安藤順子、金城昌太郎（織物）大城志津子、浦崎康賢

第19回 （1967年）

3月30日から4月3日までの5日間、壺屋小学校。

〔陳列〕絵画123点、彫刻32点、写真86点、商業美術42点、書道97点、陶器78点、染色39点、織物38点、漆器28点、ガラス3点、計569点。

〔準会員賞〕（絵画）上原浩（写真）島耕爾（商業美術）伊川栄治（陶芸）島袋常明（書道）糸洲朝薫、玻名城泰雄（漆芸）前田孝允

〔沖展賞〕（絵画）新城美代子（彫刻）西村貞雄（写真）中村幸裕（商業美術）相羽立矢（書道）上原彦一（陶芸）島袋常一（織物）大城志津子（漆芸）古波鮫唯一

〔奨励賞〕（絵画）大浜英治、近田洋一（彫刻）砂川安正（写真）伊波清孝、佐久川政功、備瀬和夫（商業美術）新垣正一、城間善夫、宮良薫、上地昭子（書道）金城順子、糸洲朝計、高良弘英、高江洲康政、与那覇よし子（陶芸）高江洲康謹、湧田弘、新垣勲（染色）安藤順子（織物）与那嶺貞、大城清助、浦崎康賢（漆芸）長嶺但従、長嶺真清

第20回 （1968年）

20周年記念展。3月30日から4月3日までの5日間、壺屋小学校。

〔陳列〕絵画117点、彫刻28点、商業美術47点、書道104点、写真90点、陶芸77点、漆芸29点、織物31点、染色44点、玩具5点、計572点。嘉数能愛、南風原朝光、榎本正治、安谷屋正義、森田永吉、島田寛平、島耕爾各氏の遺作の展示。

20周年記念式展は30日、沖縄タイムスホールで行なわれ、会員60人、準会員49人、会場提供の壺屋小学校へ記念品と賞状を贈る。

〔準会員賞〕（絵画）上原浩、神山泰治（商業美術）比嘉良仁（書道）国吉芳子、玻名城泰雄（陶芸）島袋常明

〔沖展賞〕（絵画）大浜英治（書道）上原彦一（陶芸）湧田弘（商業美術）仲元清輝（写真）有銘盛紀（彫刻）西村貞雄

〔奨励賞〕（絵画）和宇慶朝健、下地正宏、ブレンド・キンガリー、ハーレンアンソニー（彫刻）池城安昭（商業美術）宮良薫、具志弘樹、上地伊知郎（書道）金城順子、松井政吉、上原せい子、高良弘一（写真）森幸次郎、根津正昭、友利哲夫、佐久川政功（陶芸）新垣栄一、島袋常一、島袋常登（漆芸）嘉手納憑勇、伊波秀正、小那覇安義（織物）松本治子、新垣ナヘ

第21回 （1969年）

3月29日から4月3日まで（3月31日は休み）5日間、那覇高校。

〔陳列〕絵画106点、彫刻42点、商業美術51点、書道98点、写真81点、陶芸74点、漆芸25点、織物30点、染色29点、玩具4点、計540点。

〔準会員賞〕（絵画）稲嶺成祚、浦添健（商業美術）山田栄一、宮良薫（書道）国吉芳子、糸洲朝薫（陶芸）新垣栄世（漆芸）津波敏雄（染色）城間栄順

〔沖展賞〕（商業美術）新屋敷孝雄（写真）呉屋永幸（書道）上原彦一

〔奨励賞〕（絵画）和宇慶朝健、普天間敏、上地弘（彫刻）具志堅安清、砂川安正、与那原勲（商業美術）相羽立矢、具志弘樹、金城育子、富村政宏、平良長伸、嵩西利夫（写真）森幸次郎、ジャンパーマー（書道）与那覇よし子、金城順子、豊平信則、吉峯弘祐（陶芸）島袋常登、新垣勲、高江洲康謹、島袋常一（漆芸）金城唯喜、伊波秀正（織物）大城清助、大

城広四郎

第22回 （1970年）
３月30日から４月２日まで４日間、那覇商業高校。
〔陳列〕絵画109点、彫刻30点、商業美術52点、書道104点、写真84点、陶芸82点、漆芸30点、織物32点、染色35点、玩具３点、計561点。
会員、準会員推挙。
〔会員〕（漆芸）津波敏雄（彫刻）西村貞雄（商業美術）宮良薫
〔準会員〕（彫刻）池城安昭（商業美術）新垣正一（写真）有銘盛紀（絵画）大浜英治
〔準会員賞〕（商業美術）具志弘樹（書道）糸洲朝薫（写真）森幸次郎、豊島貞夫（漆芸）津波敏雄（彫刻）西村貞雄
〔沖展賞〕（商業美術）光瀬善治（写真）有銘盛紀（陶芸）新垣勲
〔奨励賞〕（絵画）普天間敏、具志恒勇、比嘉武史（彫刻）糸数正男、池城安昭（商業美術）喜舎場正一、渡嘉敷哲郎、仲元清輝、大久保彰（書道）我喜屋汝揖、当間裕、新垣昌也、渡口嘉三、伊波英子（写真）平良孝七、岡本恵紘、新川唯介（陶芸）島袋常一、新垣栄一、島袋常秀（漆芸）前田国男（織物）大城廣四郎、桃原厚助、大城繁雄（染色）屋比久直子、大城美登里

第23回 （1971年）
３月31日から４月３日まで４日間、那覇商業高校。
〔陳列〕絵画111点、彫刻26点、商業美術54点、書道87点、写真94点、陶芸81点、漆芸25点、染色26点、織物35点、玩具３点、計542点。
会員・準会員推挙
〔会員〕（書道）糸洲朝薫（陶芸）小橋川永仁（写真）森幸次郎
〔準会員〕（絵画）喜久村徳男、喜友名朝紀、儀間朝健、普天間敏（陶芸）新垣勲、新垣栄一、島袋常一（書道）上原せい子（写真）呉屋永幸（商業美術）仲元清輝
〔準会員賞〕（写真）備瀬和夫、森幸次郎（商業美術）新垣正一、宮城祥（書道）吉峯弘祐（陶芸）小橋川永仁（染色）藤村玲子
〔沖展賞〕（絵画）田場博文（写真）呉屋永幸（商業美術）平安座資成（書道）上原せい子（陶芸）新垣勲（漆芸）前田国男
〔奨励賞〕（絵画）上地弘、大城清、高島彦志、普天間敏（写真）比嘉豊光、池宮三千男、Leonard.A.Johnson（商業美術）新屋敷孝雄、喜舎場正一、銘苅清市、仲元清輝（書道）新垣昌也、当間裕、波照間三蔵（彫刻）大城好子、稲嶺光男、友知雪江（陶芸）島袋常戸、新垣勉、島袋常一（漆芸）新垣良子（染色）屋比久貞子（織物）高江洲正子、諸見勝美

第24回 （1972年）
３月28日から４月４日まで８日間、神原中学校。
〔陳列〕絵画112点、彫刻25点、商業美術57点、書道82点、写真89点、陶芸89点、漆芸27点、染色35点、織物43点、玩具４点、計563点。
会員・準会員推挙
〔会員〕（陶芸）小橋川永弘
〔準会員〕（書道）当間裕（漆芸）前田国男（商業美術）佐久本好夫
〔準会員賞〕（商業美術）宮城保武（写真）有銘盛紀（書道）高良弘英
〔沖展賞〕（商業美術）照谷恒宣（写真）小橋川門福（書道）登川正雄（陶芸）新垣勲（漆芸）前田国男
〔奨励賞〕（絵画）大城清、佐久本伸光、運天真津子、金城進（彫刻）川平恵造、長嶺よし、津波古稔（商業美術）城間善夫、伊波興太郎、高島彦志、佐久本好夫（写真）津野力男、上地安隆、平良正一郎（書道）当間裕、安室哲夫（陶芸）島袋常秀、上江洲茂生、仲本克（漆芸）新垣良子、神山義照、さだ江・Y・ウォルターズ（染色）屋比久貞子、玉那覇有公（織物）桃原ナヘ、大城誠光、大城カメ

第25回 （1973年）
25周年記念、３月29日から４月４日まで（31日は休み）の６日間、那覇高校。
〔陳列〕絵画119点、彫刻19点、デザイン44点、書道80点、写真85点、陶芸86点、漆芸22点、染色28点、織物34点、玩具４点、計521点。
25周年を記念して会員と準会員に感謝状と記念楯を贈り、沖展賞受賞の６氏を東京旅行に招待、春陽展と国展を見学。
会員・準会員推挙
〔会員〕（絵画）渡慶次真由、下地寛清（デザイン）宮城保武、具志弘樹、相羽立矢
〔準会員〕（絵画）比嘉武史（デザイン）喜舎場正一、大久保彰（彫刻）長嶺よし（織物）大城カメ、大城広四郎（陶芸）小橋川永勝
〔準会員賞〕（絵画）渡慶次真由、下地寛清（デザイン）相羽立矢、具志弘樹（書道）吉峯弘祐（陶芸）島袋常一（染色）玉那覇道子（織物）祝嶺恭子
〔沖展賞〕（絵画）比嘉武史（彫刻）当間末子（デザイン）平安座資尚（写真）高田誠（陶芸）島袋常秀（織物）大城カメ
〔奨励賞〕（絵画）玉城正明、高島彦志、佐久本伸光（彫刻）小橋川義信、長嶺よし（デザイン）大久保彰、崎浜秀昌（書道）渡口嘉三、登川正雄（織物）玉城カマド、高江洲政子（写真）上地安隆、末吉発、平井順光（漆芸）金城唯喜（陶芸）上江洲茂男、小橋川昇、仲本克、新垣勉

第26回 （1974年）

3月30日から4月4日の6日間、**那覇商業高校**で開催。

〔陳列〕絵画110点、彫刻24点、デザイン45点、写真86点、書道71点、陶芸86点、染色24点、織物49点、漆芸22点、玩具4点の計521点を陳列。

会員・準会員推挙

〔会員〕（書道）玻名城泰雄（陶芸）島袋常一（染色）玉那覇道子

〔準会員〕（絵画）高島彦志（彫刻）友知雪江、津波古稔（陶芸）新垣勉

〔準会員賞〕（絵画）喜友名朝紀、比嘉武史（デザイン）大久保彰（書道）東江順子、玻名城泰雄（陶芸）島袋常一（織物）大城廣四郎

〔沖展賞〕（絵画）佐久原侯子（書道）渡口嘉三（写真）平井順光（陶芸）新垣勉（漆芸）嘉手納憑勇（染色）玉那覇有公（織物）友利玄純

〔奨励賞〕（絵画）赤嶺正則、高島彦志、中村貴司（彫刻）津波古稔、友知雪江（デザイン）金城正司、本庄正巳（書道）阿部田鶴子、新城弘志（写真）津野光良、野波正永、前原基男（陶芸）島袋常秀、照屋佳信（漆芸）知念宏清（織物）糸数幸子、城間勝美、桃原厚吉

第27回 （1975年）

3月29日から4月3日までの6日間、**神原中学校**。

〔陳列〕絵画107点、彫刻28点、デザイン48点、写真73点、書道81点、陶芸86点、染色26点、織物44点、漆芸22点、ガラス5点、玩具（遺作）8点の計528点を陳列。

会員・準会員推挙

〔会員〕（絵画）比嘉武史、普天間敏、喜久村徳男、喜友名朝紀（デザイン）新垣正一（染色）藤村玲子

〔準会員〕（デザイン）照谷恒宣、高島彦志（書道）渡口嘉三（陶芸）島袋常秀、上江洲茂生、湧田弘（漆芸）伊波秀正（染色）玉那覇有公

〔準会員賞〕（絵画）普天間敏、比嘉武史（デザイン）新垣正一、大久保彰（陶芸）新垣勲（漆芸）古波鮫唯一（染色）藤村玲子

〔沖展賞〕（デザイン）高島彦志（書道）我喜屋秋正（陶芸）上江洲茂生（染色）玉那覇有公（織物）下地恵康

〔奨励賞〕（絵画）座覇政秀、砂川喜代（彫刻）屋嘉比柴起、島袋和代（デザイン）神山寛、本庄正巳、豊島亮一（書道）

玻名城昭子、亀島義侑（写真）津野力男、稲福政昭、鳩間利洋、小橋川哲（陶芸）高江洲育男、新垣修（漆芸）伊波秀正、内間良子（織物）与那嶺貞、大城誠光

第28回 （1976年）

3月30日から4月4日までの6日間、**那覇高校**。

〔陳列〕絵画104点、彫刻27点、デザイン46点、写真73点、書道77点、陶芸100点、染色22点、織物33点、漆芸24点の計506点を陳列。

会員・準会員推挙

〔会員〕（絵画）儀間朝健（デザイン）大久保彰（書道）東江順子、国吉芳子、吉峯弘祐（写真）有銘盛紀（漆芸）古波鮫唯一（織物）祝嶺恭子

〔準会員〕（絵画）上地弘（書道）新城弘志、登川正雄、我喜屋汝揖、宮城政夫（写真）津野力男、平良正一郎、平井順光、前原基男（陶芸）新垣修、高江洲育男、島袋常戸、高江洲康謹（漆芸）嘉手納憑勇、金城唯喜（織物）与那嶺貞、浦崎康賢、大城誠光

〔準会員賞〕（絵画）儀間朝健（彫刻）上原隆昭（デザイン）大久保彰（書道）東江順子（写真）有銘盛紀、備瀬和夫（陶芸）上江洲茂男（漆芸）古波鮫唯一、前田国男（織物）祝嶺恭子（染色）玉那覇有公

〔沖展賞〕（絵画）上地弘（書道）武田正子（陶芸）照屋佳信（織物）浦崎康賢

〔奨励賞〕（絵画）小橋川憲男、砂川喜代、赤嶺正則（彫刻）阿波根恵子、具志堅宏清、仲宗根清（デザイン）小浜晋、金城正司（書道）新城弘志、大城民子（写真）前原基男、平良正一郎、照屋忠（陶芸）新垣修（漆芸）嘉手納憑勇、金城唯喜（織物）饒平名玲子（染色）田名克子

第29回 （1977年）

3月29日から4月3日までの6日間、**首里高校**。

〔陳列〕絵画111点、彫刻27点、デザイン53点、写真71点、書道81点、陶芸97点、染色17点、織物46点、漆芸24点の計527点。

会員・準会員の推挙

〔会員〕（絵画）大浜英治（書道）高良弘英（陶芸）新垣勲（染色）玉那覇有公

〔準会員〕（絵画）砂川喜代、佐久本伸光、座覇政秀（彫刻）仲宗根清、具志堅宏清（デザイン）金城正司（写真）上地安隆（書道）豊平信則（陶芸）照屋佳信（織物）玉城カマド

〔準会員賞〕（絵画）大浜英治（彫刻）長嶺よし（書道）新城弘志（写真）前原基男（陶芸）新垣勲（染色）玉那覇有公（織物）大城カメ

〔沖展賞〕（彫刻）仲宗根清（書道）豊平信則（写真）久高将和（陶芸）照屋佳信（織物）多和田淑子

〔奨励賞〕（絵画）砂川喜代、座覇政秀（彫刻）具志堅宏清（デザイン）金城正司、佐久本伸光（書道）砂川米市、盛島高行（写真）末吉はじめ、伊元源治、上地安隆（陶芸）小橋

川昇、国場健吉（漆芸）大見謝恒雄（染色）玉那覇清（織物）大城清栄、玉城カマド

第30回 （1978年）
３月28日から４月２日までの６日間、首里高校。
〔陳列〕絵画109点、彫刻27点、デザイン42点、写真102点、書道93点、陶芸93点、漆芸23点、染色22点、織物42点の計553点。30周年を記念して各部の遺作品を展示したほかに、具志川市復帰記念会館（４月15日〜19日）、名護市教育委員会ホール（４月22日〜25日に）で選抜移動展をひらく。
会員・準会員の推挙
〔会員〕（彫刻）長嶺よし（写真）前原基男（漆芸）前田国男（織物）与那嶺貞
〔準会員〕（絵画）赤嶺正則（陶芸）小橋川昇
〔準会員賞〕（彫刻）長嶺よし、仲宗根清（書道）豊平信則（写真）前原基男（漆芸）金城喜久、前田国男
〔沖展賞〕（絵画）赤嶺正則（デザイン）神山寛（書道）盛島高行（写真）真栄田久嗣（陶芸）島袋常善（漆芸）梅林素子（織物）真栄城喜久江
〔奨励賞〕（絵画）金城進、松田勇（彫刻）喜名盛勝、青木利実（デザイン）玉城徳正、小浜晋（書道）新川善一郎、砂川米市（写真）上江洲清徳、伊元源治（陶芸）小橋川昇、金城敏昭（漆芸）名嘉真理子（染色）西平幸子、知念貞男（織物）長嶺亨子、高江洲政夫、多和田淑子

第31回 （1979年）
３月28日から４月２日までの６日間、神原中学校。
〔陳列〕絵画104点、彫刻28点、デザイン52点、写真99点、書道103点、陶芸90点、漆芸32点、染色16点、織物50点の計575点。
会員・準会員の推挙
〔会員〕（書道）豊平信則（陶芸）上江洲茂生
〔準会員〕（絵画）金城進（彫刻）富元明雄（デザイン）本庄正巳、小浜晋（書道）盛島高行、阿部田鶴子（陶芸）島袋常善（織物）真栄城喜久江、多和田淑子
〔準会員賞〕（絵画）和宇慶朝健（彫刻）具志堅宏清（デザイン）高島彦志（書道）豊平信則（陶芸）上江洲茂生（漆芸）伊波秀正
〔沖展賞〕（絵画）吉山清晴（彫刻）富元明雄（デザイン）本庄正巳（書道）阿部田鶴子（写真）仲宗根哲男（陶芸）島袋常正（織物）真栄城喜久江

〔奨励賞〕（絵画）瑞慶山昇、金城進、比嘉良二（デザイン）新垣和男、小浜晋（書道）上間徳保、盛島高行（写真）上江洲清徳、石垣永精（陶芸）島袋秀栄、島袋常善（漆芸）大見謝恒雄、甲賀明子（織物）長嶺亨子、知花美恵子、多和田淑子

第32回 （1980年）
３月28日から４月２日までの６日間、神原中学校。
〔陳列〕絵画91点、彫刻34点、デザイン42点、写真88点、書道102点、陶芸86点、漆芸39点、染色14点、織物45点の計541点。
会員・準会員の推挙
〔会員〕（絵画）上地弘（彫刻）上原隆昭（漆芸）伊波秀正、金城唯喜（織物）大城カメ、大城廣四郎、浦崎康賢
〔準会員〕（彫刻）当間末子（デザイン）玉城徳正（写真）上江洲清徳（陶芸）島袋常正
〔準会員賞〕（絵画）ウエチ・ヒロ（彫刻）上原隆昭（写真）平良正一郎（陶芸）新垣勉（漆芸）金城唯喜、伊波秀正、嘉手納憑勇（織物）大城廣四郎、大城カメ
〔沖展賞〕（彫刻）山城清典（書道）長嶺幸子（写真）上江洲清徳（陶芸）島常信
〔奨励賞〕（絵画）瑞慶山昇、当山進、屋良朝春（彫刻）当間末子、喜名盛勝、上江洲由郎（デザイン）小橋川共志、玉城徳正（書道）下地武夫、高良房子、仲本朝信（写真）玉城哲夫、浦崎博一（陶芸）島袋常正、与那覇朝一、新垣栄用（漆芸）佐伯芳子、宮里信正（染色）田名克子、平野晋二郎（織物）新垣幸子

第33回 （1981年）
３月27日から４月１日までの６日間、神原中学校。
〔陳列〕絵画98点、彫刻32点、デザイン49点、写真87点、書道108点、陶芸81点、漆芸23点、染色20点、織物52点の計550点。
会員・準会員の推挙
〔会員〕（デザイン）宮城祥、金城正司（写真）平良正一郎（書道）上原彦一（漆芸）嘉手納憑勇
〔準会員〕（絵画）屋良朝春（彫刻）喜名盛勝（書道）波照間三蔵、砂川米市（陶芸）島袋秀栄（織物）新垣幸子
〔準会員賞〕（絵画）金城進（デザイン）宮城祥、金城正司（写真）平良正一郎（書道）上原彦一（陶芸）金城敏男（漆芸）嘉手納憑勇（織物）真栄城喜久江、多和田淑子
〔沖展賞〕（書道）波照間三蔵（陶芸）島袋秀栄（織物）宮平吟子
〔奨励賞〕（絵画）屋良朝春、比嘉良二、与久田健一（彫刻）新垣盛秀、喜名盛勝、知花均（デザイン）小橋川共志、崎浜秀昌、知念秀幸、宜保定和（書道）宮良善元、砂川米市、上間徳保（写真）石垣永精、佐久本政紀、玉城哲夫、崎山佳裕（陶芸）島袋文正、金城敏昭（漆芸）佐伯芳子（染色）平野晋二郎、伊差川洋子（織物）大城清栄、玉城博子、新垣幸子、

大城慧子

第34回 （1982年）
3月27日から4月2日までの7日間、**神原中学校**。
〔陳列〕絵画109点、彫刻34点、デザイン49点、写真100点、書道109点、陶芸77点、漆芸35点、染色20点、織物52点の計585点。
会員・準会員の推挙
〔会員〕（デザイン）喜舎場正一（陶芸）金城敏男、新垣勉（織物）真栄城喜久江
〔準会員〕（絵画）比嘉良二（デザイン）崎浜秀昌、小橋川共志、知念秀幸（写真）玉城哲夫（陶芸）島常信（織物）大城清栄、ルバース・ミヤヒラ吟子
〔準会員賞〕（絵画）赤嶺正則（彫刻）富元明雄（デザイン）喜舎場正一、小浜晋（書道）大城よし子（陶芸）金城敏男、新垣勉（織物）真栄城喜久江
〔沖展賞〕（絵画）比嘉良二（デザイン）崎浜秀昌（書道）大城稔（漆芸）照屋和那
〔奨励賞〕（絵画）当山進、与久田健一、鎮西公子（彫刻）小橋川義信、伊元隆一、金城直美（デザイン）小橋川共志、知念秀幸（書道）名渡山登子、仲村信男（写真）玉城哲夫、宮平秀昭、金城盛弘（陶芸）相馬正和、高江洲康次、島常信（漆芸）上間秀雄（染色）平野晋二郎、金城ありさ（織物）湧川ヨネ子、大城清栄、大城一夫

第35回 （1983年）
3月27日から4月3日までの8日間、**神原中学校**。
〔陳列〕絵画120点、彫刻38点、デザイン50点、写真105点、書道120点、陶芸73点、漆芸26点、染色20点、織物47点、ガラス9点の計608点。
会員・準会員の推挙
〔会員〕（絵画）和宇慶朝健（書道）大城よし子（織物）多和田淑子（彫刻）富元明雄
〔準会員〕（絵画）吉山清晴、与久田健一、鎮西公子、瑞慶山昇、当山進（書道）仲本朝信、我喜屋秋正（陶芸）新垣修（織物）長嶺亨子（彫刻）小橋川義信
〔準会員賞〕（絵画）和宇慶朝健（彫刻）富元明雄（デザイン）知念秀幸（写真）上江洲清徳（書道）大城よし子（陶芸）島袋常秀（織物）多和田淑子
〔沖展賞〕（絵画）鎮西公子（彫刻）小橋川義信（写真）西原忍（書道）仲本朝信（陶芸）新垣修（漆芸）上間秀雄（織物）真栄城興茂（ガラス）大城孝栄
〔奨励賞〕（絵画）与久田健一、浦崎彦志、吉山清晴（彫刻）新垣幸俊、當真勲（デザイン）下地恵都、銘苅清市（写真）崎山嗣光、佐久本政紀（書道）下地武夫、我喜屋明正、高良房子（陶芸）相馬正和、澤岻安一（漆芸）新城安傑、照屋和那（染色）伊差川洋子（織物）高嶺シゲ、長嶺亨子、湧川米子（ガラス）稲嶺盛吉

第36回 （1984年）
3月26日から4月3日までの9日間、**那覇商業高校**。
〔陳列〕絵画111点、彫刻26点、デザイン55点、写真110点、書道122点、陶芸65点、漆芸19点、染色19点、織物52点、ガラス10点の計589点。
会員・準会員の推挙
〔会員〕（書道）登川正雄（陶芸）島袋常秀
〔準会員〕（絵画）浦崎彦志（デザイン）銘苅清市（書道）下地武夫（漆芸）照屋和那、上間秀雄（染色）伊差川洋子
〔準会員賞〕（絵画）与久田健一（彫刻）津波古稔（デザイン）崎浜秀昌（写真）津野力男、玉城哲夫（陶芸）島袋常秀（織物）ルバース・ミヤヒラ吟子、新垣幸子（書道）登川正雄
〔沖展賞〕（絵画）奥原崇典（デザイン）銘苅清市（漆芸）津嘉山栄造（染色）伊差川洋子（書道）下地武夫
〔奨励賞〕（絵画）山内盛博、浦崎彦志、新城剛（彫刻）上江洲由郎、當真勲（デザイン）与那嶺勉、当山善英（写真）金城盛弘、宮城保武（陶芸）高江洲盛良、島袋文正（ガラス）稲嶺盛吉（漆芸）上間秀雄（織物）真栄城盛茂、砂川美恵子、渡久山千代（染色）堀内あき、玉那覇清、宮城里子（書道）大城武雄、玉代勢忠雄、福原兼永、仲村信男

第37回 （1985年）
3月24日から4月3日までの11日間、**那覇商業高校**。
〔陳列〕絵画106点、彫刻34点、デザイン46点、写真112点、書道125点、陶芸74点、漆芸29点、染色18点、織物50点、ガラス7点の計600点。
会員・準会員の推挙
〔会員〕（絵画）与久田健一、屋良朝春（彫刻）具志堅宏清（デザイン）小浜晋（織物）新垣幸子
〔準会員〕（絵画）奥原崇典、新城剛（織物）真栄城興茂（染色）安藤順子（ガラス）稲嶺盛吉（書道）仲村信男
〔準会員賞〕（絵画）当山進、屋良朝春、与久田健一、鎮西公子、比嘉良二（彫刻）具志堅宏清、喜名盛勝（デザイン）小浜晋、本庄正巳、仲元清輝（書道）下地武夫、我喜屋明正（陶芸）島袋秀栄（織物）新垣幸子、玉城カマド
〔沖展賞〕（絵画）新城剛（写真）屋部高志（書道）和宇慶信八（陶芸）比嘉勇彦（織物）豊見山カツ子（ガラス）稲嶺盛吉
〔奨励賞〕（絵画）奥原崇典、前原盛文、山内盛博（彫刻）新垣幸俊、高嶺善昇、古謝真由美（デザイン）当山善英、与那覇勉（写真）古堅宗助、呉屋良延、普天間直弘（書道）茅原善元、福原兼永、仲村信男、比嘉良勝、玉村弥介（陶芸）涌井充雄、高江洲盛良、山内米一（漆芸）当間文子、新城安傑（織物）西村源護、真栄城興茂（染色）宮城里子、安藤順子

第38回 （1986年）
3月29日から4月4日までの7日間、**那覇商業高等学校**。

〔陳列〕絵画115点、彫刻44点、デザイン51点、写真106点、書道180点、陶芸73点、漆芸16点、染色21点、織物42点、ガラス12点、合計660点。
会員・準会員の推挙
〔会員〕（絵画）鎮西公子、下地明増（彫刻）喜名盛勝（デザイン）本庄正巳、銘苅清市、仲元清輝、知念秀幸（書道）我喜屋明正（織物）玉城カマド
〔準会員〕（絵画）山内盛博（彫刻）新垣幸俊（書道）茅原善元、大城稔（漆芸）新城安傑
〔準会員賞〕（絵画）鎮西公子、下地明増（彫刻）喜名盛勝、友知雪江（デザイン）玉城徳正、銘苅清市、知念秀幸、本庄正巳（陶芸）島袋常善（織物）真栄城興茂、玉城カマド（書道）仲村信男、我喜屋明正、阿部田鶴子
〔沖展賞〕（絵画）照屋万里（デザイン）城間肇（写真）上地キミ子（ガラス）平良恒夫（書道）茅原善元
〔奨励賞〕（絵画）大城勝子、島袋喜代子、中島イソ子、山内盛博（彫刻）崎枝静子、新垣幸俊、上江洲由郎（デザイン）大城康伸、亀川康栄、玉栄昭彦（写真）石垣佳彦、末吉行勇、大浜博吉（陶芸）山内米一、大林達雄、国場一（漆芸）前田比呂也、新城安傑（ガラス）仲吉喜喜、泉川寛勇（染色）宮城里子、国場節子（織物）大城一夫、中原志津子（書道）宮里朝尊、岸本定昇、砂川栄、大城稔、安里牧子

第39回 （1987年）

3月29日から4月4日まで7日間、那覇商業高校。
今回から版画部門が絵画から独立し、一層の充実を図った。一般からの応募作品1,001点の中から入賞作品36点、入選432点、会員、準会員、賛助会員の作品を含めて総数726点展示した。
〔陳列〕絵画109点、版画24点、彫刻38点、デザイン54点、写真119点、陶芸93点、漆芸26点、ガラス19点、染色17点、織物40点、書道187点。合計726点
会員・準会員の推挙
〔会員〕（彫刻）津波古稔（書道）仲村信男、阿部田鶴子（陶芸）島袋秀栄（織物）ルバース・ミヤヒラ吟子
〔準会員〕（絵画）照屋万里、金城満（彫刻）當間勲（デザイン）亀川康栄、城間肇（書道）大城武雄（陶芸）高江洲盛良（染色）宮城里子
〔準会員賞〕（絵画）浦崎彦志（彫刻）津波古稔（版画）端慶山昇（陶芸）島袋秀栄（漆芸）新城安傑（織物）ルバース・ミヤヒラ吟子（書道）大城稔、仲村信男、盛島高行、阿部田鶴子
〔沖展賞〕（絵画）金城満（版画）山城茂徳（写真）大城信吉（染色）宮城里子（織物）中原志津子（書道）比嘉千鶴子
〔奨励賞〕（絵画）宮城鶴子、照屋万里、北村英子、金城準子（彫刻）當間勲、かみぢまさ、上江洲由郎、崎枝静子（版画）大城勝（デザイン）亀川康栄（ポスター・パッケージ）城間肇（写真）普天間直弘、花城卓起、新田健夫（陶芸）西平守正、高江洲盛良、島袋常栄（漆芸）伊集守輝、松田勲

（ガラス）大城孝栄、平良恒夫（染色）仲吉悦子（織物）高嶺成、新里玲子（書道）大城武雄、泉朝信、漢那朝康、本村晴美、渡名喜清

第40回 （1988年）

3月27日から4月17日まで22日間、浦添市民体育館。
沖縄文化のルネッサンスを象徴する「沖展」は40周年を迎え、浦添市、浦添市教育委員会の協力を得て、装いも新たに会場を浦添市民体育館へ移し、22日間にわたる長期間開催した。
〔陳列〕絵画132点、版画22点、彫刻34点、デザイン51点、書道255点、写真138点、陶芸85点、漆芸21点、染色18点、織物40点、ガラス25点。合計821点
会員・準会員の推挙
〔会員〕（絵画）浦崎彦志（彫刻）友知雪江（デザイン）照谷恒宣（写真）津野力男、上江洲清徳（書道）新城弘志（陶芸）島袋常善
〔準会員〕（絵画）中島イソ子（彫刻）崎枝静子（デザイン）大城康伸、与那覇勉（陶芸）高江洲康次（織物）大城一夫（ガラス）大城孝栄
〔準会員賞〕（絵画）新城剛、浦崎彦志（写真）津野力男、上江洲清徳（デザイン）城間肇、照谷恒宣（漆芸）上間秀雄（陶芸）島袋常善（彫刻）友知雪江（書道）新城弘志
〔沖展賞〕（絵画）中島イソ子（デザイン）大城康伸（ガラス）大城孝栄（陶芸）高江洲康次（書道）小杉紘子
〔奨励賞〕（絵画）宮里昌健、山田武、伊良部恵勝、宮里顕（写真）崎山洋子、坂井和夫（デザイン）与那覇勉、山田英夫（染色）具志七美、知念貞男（織物）比嘉恵美子、大城一夫、糸数江美子（漆芸）宇良英明、松田勲（ガラス）末吉清一（陶芸）澤岻安一、金城敏幸（彫刻）松堂徳正、崎枝静子、高嶺善昇（版画）比嘉良徳、知念秀幸（書道）豊平美栄子、比嘉良勝、砂川栄、安里牧子、渡名喜清、吉里恒貞

第41回 （1989年）

4月2日（日）〜4月23日（日）まで22日間、浦添市民体育館で浦添市、浦添市教育委員会の協力で開催。
〔陳列〕絵画130点、版画25点、彫刻44点、デザイン42点、書道255点、写真143点、陶芸75点、漆芸11点、染色28点、織物40点、ガラス40点。合計814点
会員・準会員の推挙
〔会員〕（絵画）新城剛（書道）下地武夫（織物）真栄城興茂（ガラス）稲嶺盛吉
〔準会員〕（写真）普天間直弘、大城信吉（版画）知念秀幸、比嘉良徳（漆芸）松田勲（ガラス）平良恒夫、泉川寛勇（陶芸）山内米一（書道）渡名喜清
〔準会員賞〕（絵画）新城剛（織物）真栄城興茂（ガラス）稲嶺盛吉、大城孝栄（陶芸）新垣修（書道）下地武夫
〔沖展賞〕（絵画）前田比呂也（写真）大城信吉（デザイン）友奇景浩（ガラス）泉川寛勇（陶芸）大宮育雄（書道）赤嶺靖彦

〔奨励賞〕（絵画）上原勲、宮里昌健、仲松清隆（写真）堀川恭順、普天間直弘（版画）下地敏一、知念秀幸、比嘉良徳（デザイン）山田英夫、城間清酉（染色）当間光子、渡名喜はるみ（織物）伊藤峯子、糸数江美子、比嘉マサ子（漆芸）松田勲（ガラス）平良恒夫、松堂正喜（陶芸）高橋幸治、山内米一（彫刻）知念良智、渡慶次布（書道）漢那治子、渡名喜清、泉朝信、本村晴美、浜口清子、天久武和

第42回 （1990年）

3月25日(日)〜4月8日(日)まで15日間、浦添市民体育館で浦添市、浦添市教育委員会の協力で開催。

〔陳列〕絵画114点、版画27点、彫刻46点、デザイン47点、書道226点、写真130点、陶芸78点、漆芸24点、染色18点、織物35点、ガラス39点。合計788点

会員・準会員の推挙

〔会員〕（版画）瑞慶山昇（書道）大城稔（漆芸）上間秀雄、新城安傑

〔準会員〕（絵画）宮里顕（彫刻）高嶺善昇（書道）泉朝信、高良房子

〔準会員賞〕（絵画）照屋万里、奥原崇典（版画）瑞慶山昇（書道）大城稔（陶芸）島常信（漆芸）上間秀雄、新城安傑

〔沖展賞〕（絵画）宮里顕（彫刻）知念良智（デザイン）城間清酉（写真）牧直實（書道）名嘉喜美（陶芸）宮城智（漆芸）赤嶺貴子（ガラス）当真進

〔奨励賞〕（絵画）瑞慶山昇、新垣正一、大城良明（版画）長浜克英、知念守（彫刻）高嶺善昇、上原博紀、仲里安弘（デザイン）大城道秀、知念仁志、志喜屋康徹（写真）小谷武彦、上地キミ子、坂井和夫（書道）東恩納安弘、泉朝信、豊平美榮子、高良房子（陶芸）石倉文夫、大林達雄（漆芸）宇良英明、当間文子（染色）渡名喜はるみ、当間光子（織物）嘉手苅カメ子（ガラス）仲吉幸喜、上原徳三

第43回 （1991年）

3月24日(日)〜4月7日(日)まで15日間、浦添市民体育館で浦添市、浦添市教育委員会の協力で開催。

〔陳列〕絵画124点、版画30点、彫刻45点、デザイン49点、書道249点、写真123点、陶芸83点、漆芸20点、染色26点、織物31点、ガラス41点。合計821点

会員・準会員の推挙

〔会員〕（絵画）赤嶺正則

〔準会員〕（写真）末吉はじめ（書道）吉里恒貞、安里牧子（漆芸）当間文子（織物）仲原志津子

〔準会員賞〕（絵画）赤嶺正則、佐久本伸光、高島彦志（版画）比嘉良徳（織物）大城一夫（染色）宮城里子（漆芸）松田勲（ガラス）平良恒夫（陶芸）山内米一（書道）大城武雄

〔沖展賞〕（絵画）上地雅子（写真）末吉はじめ（織物）中原志津子（漆芸）後間義雄（ガラス）屋我平尋（陶芸）ポール・ロリマー（書道）吉里恒貞

〔奨励賞〕（絵画）金城和男、仲松清隆、瑞慶山昇（写真）

崎山嗣光、知花照子、中山良哲（版画）玉城徳正、新崎竜哉（デザイン）宜保定和、大城道秀（織物）津波古信江、大城幸雄（染色）当間光子、金城盛弘、国場節子、知念貞男（漆芸）当間文子、富里愛子（ガラス）末吉清一、松田豊彦、具志堅正（陶芸）新垣光雄、宮城秀雄（彫刻）上原博紀、仲本真由美（書道）安里牧子、平良勝男、上地徹、浜口清子、西澤恒子、東恩納安弘

第44回 （1992年）

3月22日(日)〜4月5日(日)まで15日間、浦添市民体育館で浦添市、浦添市教育委員会の協力で開催。

〔陳列〕絵画121点、版画23点、彫刻40点、デザイン58点、書道256点、写真113点、陶芸74点、漆芸32点、染色24点、織物33点、ガラス39点。合計813点

会員・準会員の推挙

〔会員〕（デザイン）崎浜秀昌（ガラス）泉川寛勇、平良恒夫

〔準会員〕（絵画）仲松清隆、瑞慶山昇、宮里昌健（版画）知念守（彫刻）仲本真由美、上原博紀（写真）上地キミ子、坂井和夫（陶芸）大宮育男（染色）知念貞男（ガラス）当真進

〔準会員賞〕（写真）末吉はじめ（デザイン）崎浜秀昌（織物）長嶺亨子（染色）伊差川洋子（ガラス）泉川寛勇、平良恒夫（陶芸）湧田弘（書道）安里牧子

〔沖展賞〕（絵画）仲松清隆（写真）西山雅浩（版画）長浜美佐子（染色）知念貞男（漆芸）糸数政次（ガラス）当真進（書道）漢那治子

〔奨励賞〕（絵画）瑞慶山昇、大城讓、宮里昌健、佐久間盛義（写真）上地キミ子、坂井和夫、中山良哲（版画）新崎竜哉、知念守（デザイン）木村ロメオ（織物）桃原美枝、波照間けさ子、津波古信江（染色）佐藤真佐子、金城盛弘（漆芸）古村茂（ガラス）屋我平尋、上原徳三、佐久間正二（陶芸）大宮育雄、伊禮邦夫、知花真紹（彫刻）上原博紀、仲本真由美、仲里安広、高江洲義寛（書道）幸喜石子、玉木恒子、比嘉良勝、宮平俊則、上原幸子、與久田妙子

第45回 （1993年）

3月21日(日)〜4月4日(日)まで15日間、浦添市民体育館で浦添市、浦添市教育委員会の協力で開催。

〔陳列〕絵画136点、版画22点、彫刻33点、デザイン45点、書道248点、写真123点、陶芸70点、漆芸20点、染色23点、織物30点、ガラス46点。合計796点

会員・準会員の推挙

〔会員〕（絵画）当山進（版画）比嘉良徳（書道）盛島高行（陶芸）湧田弘（染色）伊差川洋子（織物）大城一夫

〔準会員〕（絵画）大城讓、山田武（版画）新崎竜哉（書道）上地徹、名嘉喜美、小杉紘子（写真）崎山洋子、西山雅浩（漆芸）糸数正次（織物）糸数江美子（ガラス）屋我平尋

〔準会員賞〕（絵画）当山進、瑞慶山昇（写真）大城信吉

（版画）比嘉良徳（織物）大城一夫（染色）知念貞男、伊差川洋子（漆芸）当間文子（陶芸）湧島弘（書道）盛島高行
〔沖展賞〕（絵画）池宮城友子（写真）崎山洋子（漆芸）糸数政次（ガラス）屋我平尋（書道）上地徹
〔奨励賞〕（絵画）奥本静江、大城讓、新城弘市郎、山田武（写真）西山雅浩、内間寛、仲宗根直（版画）新崎竜哉、仲本和子（デザイン）志喜屋徹、木村ロメオ（織物）糸数江美子、桃原美枝（漆芸）宮里愛子、富永正子（ガラス）大城清善、池宮城善郎（陶芸）羽田光範、伊禮邦夫（彫刻）宮里努（書道）玉木恒子、名嘉喜美、知念正、天久武和、小杉紘子、新城育子

第46回 （1994年）
3月20日（日）～4月3日（日）まで15日間、浦添市民体育館で開催。
〔陳列〕絵画141点、版画24点、彫刻28点、デザイン53点、書道238点、写真131点、陶芸72点、漆芸15点、染色23点、織物30点、ガラス28点。合計783点
会員・準会員の推挙
〔会員〕（絵画）奥原崇典（デザイン）亀川康栄（写真）大城信吉（陶芸）島常信（漆芸）松田勲（染色）宮城里子
〔準会員〕（書道）天久武和（写真）内間寛、牧直實（漆芸）後間義雄（織物）富里愛子、津波古信江（ガラス）末吉清一
〔準会員賞〕（絵画）奥原崇典（写真）上地安隆、大城信吉（版画）知念守、新崎竜哉（デザイン）亀川康栄（染色）宮城里子（漆芸）松田勲（陶芸）島常信（書道）名嘉喜美、茅原善元
〔沖展賞〕（絵画）平野智子（写真）内間寛（漆芸）後間義雄（ガラス）池宮城善郎（陶芸）新垣初子（書道）玉城恵美子
〔奨励賞〕（絵画）知名久夫、平川宗信、喜屋武千恵（写真）松門重雄、金城幸彦、牧直實（版画）友利一直（デザイン）比嘉康幸、宮城真吾（織物）大城慧子、津波古信江（染色）上原順子、新垣鈴花（漆芸）真栄田静子、富里愛子（ガラス）末吉清一、大城清善（陶芸）大城繁、親川正治（彫刻）仲里安広（書道）与儀政子、新垣洋子、與久田妙子、中村裕美、天久武和

第47回 （1995年）
3月19日（日）～4月2日（日）まで15日間、浦添市民体育館で開催。
〔陳列〕絵画157点、版画24点、彫刻24点、デザイン54点、書道246点、写真122点、陶芸76点、漆芸20点、染色22点、織物30点、ガラス22点。合計919点
会員・準会員の推挙
〔会員〕（書道）大城武雄（陶芸）新垣修（染色）知念貞男
〔準会員〕（絵画）具志恒勇（デザイン）木村ロメオ（書道）東恩納安弘、玉城恵美子、浜口清子（写真）佐久本政紀（陶芸）伊禮邦夫

〔準会員賞〕（絵画）大城讓（陶芸）新垣修（写真）崎山洋子、牧直實（染色）知念貞男（織物）糸数江美子（書道）大城武雄
〔沖展賞〕（絵画）知念秀幸（版画）赤嶺雅（陶芸）伊禮邦夫（写真）佐久本政紀（織物）仲村泰子（書道）東恩納安弘
〔奨励賞〕（絵画）平川宗信、具志恒勇（版画）宮城あすか（デザイン）木村ロメオ、名嘉一、平良均（彫刻）志喜屋徹（陶芸）崎原盛和、金城定昭（写真）呉屋良延、知花照子、仲宗根直（染色）具志七美、志堅原英子（漆芸）真栄田静子、大城光子、城間ハツ（ガラス）山城正、比嘉吉春（織物）運天裕子（書道）新垣敏子、上原幸子、玉城恵美子、運天雅代、浜口清子

第48回 （1996年）
3月24日（日）～4月7日（日）まで15日間、浦添市民体育館で開催。
〔陳列〕
絵画156点、版画21点、彫刻34点、デザイン49点、書道236点、写真144点、陶芸68点、漆芸17点、染色27点、織物30点、ガラス22点。合計803点
会員・準会員の推挙
〔会員〕（絵画）照屋万里（版画）知念守（書道）名嘉喜美
〔準会員〕（絵画）知念秀幸（版画）赤嶺雅（書道）比嘉千鶴子（写真）金城幸彦、中山良哲（陶芸）島袋常栄、新垣栄用（漆芸）真栄田静子
〔準会員賞〕（絵画）砂川喜代、照屋万里（写真）上地キミ子（版画）知念守（ガラス）末吉清一（書道）名嘉喜美
〔沖展賞〕（絵画）仲里安広（写真）金城幸彦（デザイン）宮國貴子（陶芸）島袋常栄（彫刻）氏村・佐久田カルロス・マルチン（書道）與久田妙子
〔奨励賞〕（絵画）知念秀幸、稲嶺盛一郎、大底康宏（写真）平良正巳、伊芸元一、中山良哲（版画）城間和枝、赤嶺雅、宮城あすか（デザイン）大野陽子、川上豪、平良均（織物）伊藤峯子、大濱敏江（染色）前田栄、志堅原英子（漆芸）大城光子、真栄田静子（ガラス）親富祖勉、漢那憲作（陶芸）新垣栄用（彫刻）新垣盛秀、山城史輝、稲嶺織恵（書道）岸本定昇、佐野裕司、比嘉千鶴子、前田賢二、登川妙子

第49回 （1997年）
3月23日（日）～4月6日（日）まで15日間、浦添市民体育館で開催。
〔陳列〕絵画152点、版画20点、彫刻29点、デザイン56点、書道233点、写真144点、陶芸69点、漆芸18点、染色27点、織物24点、ガラス25点。合計797点
会員、準会員の推挙
〔会員〕（版画）赤嶺雅（書道）茅原善元（織物）長嶺亨子（ガラス）末吉清一
〔準会員〕（絵画）仲里安広（版画）宮城あすか（デザイン）山田英夫、平良均（陶芸）新垣初子、大林達雄（織物）伊藤

峯子
〔準会員賞〕（絵画）知念秀幸（版画）赤嶺雅（彫刻）當眞勲（書道）浜口清子、比嘉良勝（陶芸）小橋川昇（漆芸）糸数政次（織物）長嶺亭子（ガラス）末吉清一
〔沖展賞〕（絵画）照屋愛（版画）宮城あすか（デザイン）田場晋一郎（書道）山城篤男（写真）平良正己
〔奨励賞〕（絵画）我謝弘行、金城幸也、比嘉利寛、吉田峰子、小録了、仲里安弘（版画）友利直（デザイン）山田英夫、平良均（彫刻）宮里秀和、真座孝治（書道）山城朝計、前田賢二、香村ナホ、知念正（写真）新城定盛、照屋孚賢、金城利夫（陶芸）大林達雄、新垣初子、金城定昭（漆芸）大城加代子、赤嶺貴子（染色）津田かすみ、渡名喜はるみ、前田栄（織物）大城哲、伊藤峯子（ガラス）稲嶺盛一郎、大城啓一

第50回 （1998年）
3月22日（日）～4月5日（日）まで15日間、浦添市民体育館で開催。
〔陳列〕絵画142点、版画22点、彫刻38点、デザイン64点、書道274点、写真146点、陶芸72点、漆芸18点、染色32点、織物29点、ガラス29点。合計866点
会員、準会員の推挙
〔会員〕（絵画）比嘉良二、具志堅誓謹、佐久本伸光、砂川喜代（書道）安里牧子、浜口清子
〔準会員〕（絵画）金城幸也、平川宗信（彫刻）知念良智（書道）知念正、砂川榮、山城篤男、上原幸子、宮平俊則、福原兼永（写真）平良正己（漆芸）大城光子、赤嶺貴子（染色）渡名喜はるみ（織物）大城慧子
〔準会員賞〕（絵画）具志恒勇、宮里顕、比嘉良二（デザイン）山田英夫（書道）安里牧子、浜口清子、泉朝信（写真）普天間直弘（陶芸）高江洲康次
〔沖展賞〕（絵画）金城幸也（彫刻）親川松清（書道）知念正（写真）親泊秀尚（陶芸）佐久間栄（漆芸）大城光子（染色）外間修（織物）和宇慶むつみ
〔奨励賞〕（絵画）平川宗信、与那嶺芳恵、比嘉利寛、三木元子、山城政子、奥本静江、岸本ノブヨ、大底康宏、赤嶺広和、永島正（版画）金城恵子、山城智代、前田栄（デザイン）内間安博、長嶺忠雄、前田勇憲（彫刻）崎浜秀政、山城史輝、むらたりえこ、知念良智（書道）眞喜屋美佐、小橋川学、島尚美、砂川榮、玻名城泰久、山城美智子、山城篤男、我部幸枝、大盛敬徳、上原幸子、新城長助（写真）平良正己、金城棟永、諸見里光子、神山幸子（陶芸）津波古浩、比嘉康雄（漆芸）赤嶺貴子（染色）島袋あゆみ、渡名喜はるみ、請盛貴子、崎浜裕子（織物）運天裕子、大城慧子（ガラス）稲嶺盛一郎、谷井美鈴、大城尚也、大城清善

第51回 （1999年）
3月21日（日）～4月4日（日）まで15日間、浦添市民体育館で開催。
〔陳列〕絵画140点、版画21点、彫刻33点、デザイン52点、書道267点、写真135点、陶芸63点、漆芸20点、染色31点、織物24点、ガラス40点。合計826点
会員、準会員の推挙
〔会員〕（絵画）宮里顕（書道）泉朝信、比嘉良勝（写真）上地キミ子、崎山洋子
〔準会員〕（版画）長浜美佐子（彫刻）親川松清、山城史輝（書道）岸本定昇、平良勝男（写真）金城棟永、石垣永精（陶芸）金城定昭（ガラス）稲嶺盛一郎
〔準会員賞〕（絵画）宮里顕、金城幸也（版画）宮城あすか（彫刻）上原博紀（デザイン）木村ロメオ（書道）比嘉良勝、小杉紘子、泉朝信（写真）崎山洋子（陶芸）大林達雄（漆芸）後間義雄
〔沖展賞〕（絵画）佐久本米子（彫刻）親川松清（書道）我喜屋文子（写真）金城棟永
〔奨励賞〕（絵画）宮村浩美、仲宗根勇吉、山城政子、我如古洋子、岸本ノブヨ（版画）長浜美佐子（彫刻）新垣盛秀、山城史輝、與儀清孝（デザイン）仲本京子、知念仁志、諸見宣孝（書道）香村ナホ、比嘉安子、永田圭二、運天雅代、神山律子、山城美智子（写真）山城啓、石垣永精、翁長達夫（陶芸）金城定昭、佐渡山正光（漆芸）諸見由則、照喜名朝夫（染色）前田直美、外間修、請盛貴子、崎浜裕子（織物）和宇慶むつみ（ガラス）稲嶺盛一郎、新崎盛史、大城尚也

第52回 （2000年）
3月19日（日）～4月2日（日）までの15日間、浦添市民体育館で開催。
〔陳列〕絵画141点、版画20点、彫刻32点、デザイン50点、書道367点、写真123点、陶芸67点、漆芸23点、染色27点、織物24点、ガラス26点。合計900点
会員、準会員の推挙
〔会員〕（絵画）高島彦志（書道）仲本朝信
〔準会員〕（絵画）与那嶺芳恵、奥本静江（デザイン）知念仁志（書道）前田賢二、本村晴美、山城美智子（陶芸）親川正治（染色）外間修（ガラス）池宮城善郎
〔準会員賞〕（絵画）高島彦志（版画）長浜美佐子（彫刻）親川松清、知念良智（書道）山城篤男、渡名喜清、仲本朝信（写真）内間實、金城幸彦（陶芸）島袋常栄（漆芸）赤嶺貴子（ガラス）屋我平尋
〔沖展賞〕（絵画）与那嶺芳恵（彫刻）與儀清孝（デザイン）知念仁志（書道）前田賢二（陶芸）親川正治（漆芸）宮城荘一郎（ガラス）池宮城善郎
〔奨励賞〕（絵画）前田誠、奥本静江、高野生優、山川さやか、新城弘市郎（彫刻）大城朝利、城間勇（デザイン）諸見宣孝、仲本京子（書道）眞喜屋美佐、新里智子、比嘉安子、本村晴美、山城美智子、長浜和子、神山律子、我喜屋ヤス子（写真）渡久地政修、譜久原朝慎、伊波ムツ子（陶芸）小橋川弘、金城敏幸（漆芸）諸見由則、伊佐郁子（染色）仲松格、外間修、請盛貴子、仲吉委子（織物）宮良せい子（ガラス）青木茂夫、上地広明

第53回 （2001年）

3月18日（日）～4月1日（日）まで15日間、浦添市民体育館で開催。浦添市長賞を7部門に出す。

〔陳列〕絵画167点、版画25点、彫刻31点、デザイン40点、書道398点、写真128点、陶芸68点、漆芸23点、染色26点、織物28点、ガラス39点。合計973点

会員、準会員の推挙

〔会員〕（絵画）金城幸也（版画）長浜美佐子（彫刻）知念良智（書道）高良房子、宮平俊則（写真）末吉はじめ（陶芸）島袋常栄

〔準会員〕（絵画）山城政子、佐久本米子（彫刻）與儀清孝（デザイン）諸見宣孝、仲本京子（書道）眞喜屋美佐、比嘉安子、神山律子、我喜屋ヤス子（織物）和宇慶むつみ

〔準会員賞〕（絵画）金城幸也、与那嶺芳恵（版画）長浜美佐子（彫刻）知念良智（書道）高良房子、砂川榮、上地徹、宮平俊則（写真）末吉はじめ、中山良哲（陶芸）島袋常栄（染色）外間修（ガラス）池宮城善郎

〔沖展賞〕（絵画）安富幸子（デザイン）知名定利祉（書道）村山典子（写真）島元智（染色）大濱史枝

〔奨励賞〕（絵画）伊川治美、小橋川清一、山城政子、佐久本米子、上原はま子（版画）安仁屋政汎、辻優子（彫刻）與儀清孝、大城朝利、浜川和男（デザイン）諸見宣孝、仲本京子（書道）田名洋子、幸喜石子、眞喜屋美佐、比嘉安子、長浜和子、神山律子、城間律子、我喜屋ヤス子、西蔵盛英雄、金城多美子（写真）大城隆、渡嘉敷久美（陶芸）新垣栄一、大城千秋、新垣安隆（漆芸）當真茂、宮城清（染色）城間弘子、金城マリエ（織物）大仲毬子、和宇慶むつみ、仲宗根みちこ（ガラス）漢那憲作、上地広明、大城尚也

〔浦添市長賞〕（絵画部門）金城幸也（版画部門）友利直（彫刻部門）上原博紀（デザイン部門）津波古陽子（書道部門）岸本定昇（写真部門）島元智（工芸部門）大濱史枝

第54回 （2002年）

3月17日（日）～3月31日（日）まで15日間、浦添市民体育館で開催。浦添市長賞を7部門11ジャンルに出す。

〔陳列〕絵画138点、版画26点、彫刻28点、デザイン53点、書道396点、写真126点、陶芸73点、漆芸18点、染色22点、織物26点、ガラス38点。合計944点

会員、準会員の推挙

〔会員〕（絵画）中島イソ子、与那嶺芳恵（書道）小杉紘子、砂川榮（写真）牧直實（陶芸）小橋川昇（漆芸）後間義雄（織物）糸数江美子

〔準会員〕（絵画）新垣正一（書道）幸喜石子（織物）新里玲子

〔準会員賞〕（絵画）中島イソ子、与那嶺芳恵（彫刻）與儀清孝（デザイン）諸見宣孝（写真）牧直實（書道）小杉紘子、眞喜屋美佐、砂川榮、知念正（陶芸）小橋川昇（織物）糸数江美子（漆芸）後間義雄（ガラス）稲嶺盛一郎

〔沖展賞〕（絵画）赤嶺広和（デザイン）漢那豊（書道）幸喜石子

〔奨励賞〕（絵画）山川さやか、高野生優、新垣正一、大塚水央、安富幸子（版画）中村万季子、彭立波（彫刻）濱元朝和（デザイン）大森洋介、仲宗根みさと（写真）大迫啓子、翁長達夫（書道）永田圭二、金城多美子、中村裕美、大山美代子、与儀政子、西蔵盛英雄、西澤恒子、兼次律子、玉城君子、吉田優子（陶芸）新垣健司、薗田稔（染色）外間裕子、津田かすみ（織物）新垣隆、新里玲子、大仲毬子（漆芸）國吉亮子（ガラス）青木茂夫、新崎盛史、東新川拓也

〔浦添市長賞〕（絵画）有泉京子（版画）前田隆子（彫刻）大城朝利（デザイン）坂あゆみ（写真）金城道男（書道）与那嶺典子（陶芸）玉城望（漆芸）當眞茂（染色）仲吉委子（織物）仲宗根みちこ（ガラス）大城英世

第55回 （2003年）

3月16日（日）～3月30日（日）まで15日間、浦添市民体育館で開催。浦添市長賞を7部門11ジャンルに出す。

〔陳列〕絵画158点、版画30点、彫刻24点、デザイン53点、書道393点、写真120点、陶芸72点、漆芸21点、染色18点、織物28点、ガラス37点。合計954点

会員、準会員の推挙

〔会員〕（絵画）具志恒勇、大城讓（版画）宮城あすか（書道）眞喜屋美佐、知念正（ガラス）池宮城善郎

〔準会員〕（絵画）安富幸子、赤嶺広和（版画）前田栄（書道）田名洋子、金城多美子、中村裕美、運天雅代、西蔵盛英雄（写真）屋部高志（染色）仲吉委子、大濱史枝、外間裕子

〔準会員賞〕（絵画）奥本静江、具志恒勇、大城讓（版画）宮城あすか（書道）比嘉千鶴子、眞喜屋美佐、砂川米市、知念正（写真）佐久本政紀（織物）和宇慶むつみ（ガラス）池宮城善郎、当真進

〔沖展賞〕（絵画）安富幸子（版画）前田栄（書道）田名洋子（染色）仲吉委子

〔奨励賞〕（絵画）知念盛一、波平栄宏、當間よしの、仲宗根勇吉、高江洲陽子（版画）大野経典（彫刻）濱元朝和（デザイン）幸喜訓、当真千博、折田鮎美（書道）宮里朝尊、金城多美子、中村裕美、運天美代子、運天雅代、西蔵盛英雄、松堂康子、兼次律子、比嘉さつき、新里智子（写真）幸喜訓、喜名朝駿、屋部高志（陶芸）比嘉拓美、吉村明、仲間功（漆芸）照喜名朝夫、仲北聡子（染色）大濱史枝、仲松格、城間栄市（織物）深石美穂（ガラス）小野田郁子

〔浦添市長賞〕（絵画）友利榮吉（版画）安仁屋政汎（彫刻）大城朝利（デザイン）宮平有紀子（書道）玉那覇峯子（写真）木村正男（陶芸）薗田稔（漆芸）國吉亮子（染色）外間裕子（織物）比嘉恵美子（ガラス）上地広明

第56回 （2004年）

3月14日（日）～3月28日（日）まで15日間、浦添市民体育館で開催。浦添市長賞を7部門11ジャンルに出す。

〔陳列〕絵画153点、版画27点、彫刻21点、デザイン55点、

書道403点、写真117点、陶芸78点、漆芸17点、染色18点、織物30点、ガラス45点。合計964点
会員、準会員の推挙
〔会員〕（絵画）奥本静江（彫刻）與儀清孝（書道）砂川米市、渡名喜清（染色）外間修（織物）和宇慶むつみ（ガラス）稲嶺盛一郎
〔準会員〕（絵画）岸本ノブヨ（版画）友利一直（彫刻）濱元朝和、大城朝利（書道）宮里朝尊、村山典子、長浜和子（写真）島元智（陶芸）比嘉拓美（染色）仲松格（織物）大仲毬子（ガラス）大城尚也
〔準会員賞〕（絵画）奥本静江、佐久本米子、安富幸子（版画）知念秀幸（彫刻）玉栄広芳、與儀清孝（書道）神山律子、砂川米市、渡名喜清、比嘉安子、前田賢二（陶芸）新垣榮用（漆芸）真栄田静子（染色）許田史枝、外間修（織物）和宇慶むつみ（ガラス）稲嶺盛一郎
〔沖展賞〕（絵画）岸本ノブヨ（彫刻）濱元朝和（デザイン）上里綾（書道）宮里朝尊（写真）平良幸江（陶芸）比嘉拓美（漆芸）當眞茂（ガラス）大城尚也
〔奨励賞〕（絵画）波平栄宏、伊川治美、上原政則、宮里ユキ子、知念盛一（版画）安仁屋政汎、友利一直（彫刻）大城朝利、玉那覇英人（デザイン）長内聡、久高美保、諸見朝敬（書道）長浜和子、吉田優子、上原孝之、桑江恭子、松堂康子、松田征子、斎藤純子、村山典子、仲里徹、仲西雅江（写真）島元智、真栄田義和、前田貞夫（陶芸）新垣栄、佐渡山正光（染色）仲松格（織物）大仲毬子、新垣隆（ガラス）山下奈緒子、上原学
〔浦添市長賞〕（絵画）赤嶺美代子（版画）座間味良吉（彫刻）宮城忍（デザイン）具志堅千穂（書道）上原貴子（写真）副田保子（陶芸）照屋晴美（漆芸）高江洲瑩子（染色）具志七美（織物）真栄田洋子（ガラス）新崎盛史

第57回 （2005年）
3月20日（日）～4月3日（日）まで15日間、浦添市民体育館で開催。浦添市長賞を7部門11ジャンルに出す。本年度より日本民藝協会賞を工芸部門から2ジャンルに出す。
〔陳列〕絵画150点、版画24点、彫刻28点、デザイン54点、書道408点、写真115点、陶芸76点、漆芸19点、染色25点、織物32点、ガラス40点。合計971点
会員、準会員の推挙
〔会員〕（彫刻）玉栄広芳（デザイン）諸見宣孝（書道）神山律子、前田賢二（写真）金城幸彦、佐久本政紀（ガラス）当真進
〔準会員〕（絵画）新城弘市郎（デザイン）幸喜訓（書道）新里智子、西澤恒子、松堂康子、吉田優子（陶芸）新垣健司、佐渡山正光（漆芸）照喜名朝夫
〔準会員賞〕（絵画）新垣正一、平川宗信（彫刻）玉栄広芳（デザイン）諸見宣孝（書道）上原幸子、神山律子、田名洋子、中村裕美、前田賢二、宮里朝尊（写真）金城幸彦、佐久本政紀（陶芸）新垣初子（染色）外間裕子（ガラス）当真進

〔沖展賞〕（絵画）冨名腰ヨシ子（彫刻）岩木詩緯子（デザイン）幸喜訓（書道）与那嶺典子（写真）翁長盛武（陶芸）新垣健司（織物）宮平トシ子
〔奨励賞〕（絵画）新川ヤス子、上原はま子、新城弘市郎、當間よしの、真栄田文子（版画）座間味良吉、宮里のぞみ（彫刻）宮里努（デザイン）島袋洋、諸見朝敬（書道）安里志乃、安里涼子、上原貴子、新垣敏子、新里明美、新里智子、西澤恒子、松堂康子、山里美代子、吉田優子（写真）渡嘉敷久美、真栄田義和、宮城和成（陶芸）新垣寛、佐渡山正光（漆芸）杉浦本信、照喜名朝夫（染色）宜保聡、比嘉孝子、宮城松子（織物）高間えつ子、寺田紀子（ガラス）新崎盛史、上地広明、山下奈緒子
〔浦添市長賞〕（絵画）永島正（版画）平川良栄（彫刻）前川久栄（デザイン）泉川裕子（書道）伊野前喜美子（写真）岩城禮子（陶芸）新垣栄（漆芸）當眞茂（染色）宮城守男（織物）宜野座恵子（ガラス）東新川拓也
〔日本民藝協会賞〕（織物）仲宗根みちこ（ガラス）小野田郁子

第58回 （2006年）
3月19日（日）～4月2日（日）まで15日間、浦添市民体育館で開催。浦添市長賞を7部門11ジャンルに出し、日本民藝協会賞を工芸部門から2ジャンルに出す。
〔陳列〕絵画137点、版画30点、彫刻25点、デザイン54点、書道410点、写真120点、陶芸85点、漆芸23点、染色21点、織物27点、ガラス43点。合計975点
会員、準会員の推挙
〔会員〕（絵画）知念秀幸（版画）新崎竜哉（彫刻）上原博紀（書道）中村裕美、比嘉千鶴子、比嘉安子（染色）外間裕子
〔準会員〕（絵画）伊川治美（書道）新里明美、与那嶺典子、大山美代子（写真）翁長盛武、真栄田義和、翁長達夫（漆芸）當眞茂（染色）津田かすみ
〔準会員賞〕（絵画）岸本ノブヨ、知念秀幸（版画）新崎竜哉、前田栄（彫刻）上原博紀（デザイン）幸喜訓、知念仁志（書道）運天雅代、長浜和子、中村裕美、比嘉千鶴子、比嘉安子（写真）島元智（陶芸）親川唐白（染色）外間裕子
〔沖展賞〕（絵画）上間彩花（版画）本村佳奈子（デザイン）崎浜秀浩（書道）新里明美（写真）翁長盛武（陶芸）松田共司（漆芸）當眞茂（染色）宮城守男
〔奨励賞〕（絵画）新川ヤス子、伊川治美、松田盛吉、宮里ユキ子（版画）座覇政秀、新屋敷孝雄（彫刻）本郷芳哉（デザイン）久高美保、島袋洋、本若博次（書道）安里志乃、上原貴子、大山美代子、島尚美、城間律子、高江洲朝則、友利通子、豊平美奈子、松田征子、与那嶺典子（写真）岩城禮子、翁長達夫、真栄田義和（陶芸）金城吉彦、玉城望（漆芸）國吉亮子（染色）津田かすみ（織物）新垣隆（ガラス）小野田郁子、兼次直樹、東新川拓也
〔浦添市長賞〕（絵画）新崎多恵子（版画）波平栄宏（彫刻）上間美花（デザイン）大庭貴子（書道）新垣敏子（写真）津波古信行（陶芸）平良みどり（漆芸）上原保雄（染色）宜保聡（織物）比嘉恵美子（ガラス）喜屋武昌哲
〔日本民藝協会賞〕（陶芸）玉城若子（染色）具志七美

第59回 （2007年）

３月18日（日）～４月１日（日）まで15日間、浦添市民体育館で開催。浦添市長賞を７部門11ジャンルに出し、日本民藝協会賞を工芸部門から２ジャンルに出す。

〔陳列〕絵画131点、版画27点、彫刻33点、デザイン51点、書道414点、写真128点、陶芸73点、漆芸20点、染色15点、織物35点、ガラス48点。合計975点

会員、準会員の推挙

〔会員〕（絵画）安富幸子（版画）知念秀幸（デザイン）知念仁志（書道）田名洋子（陶芸）親川唐白（漆芸）赤嶺貴子

〔準会員〕（絵画）上間彩花（彫刻）新垣盛秀（デザイン）島袋洋（書道）兼次律子、城間律子（写真）仲宗根直（陶芸）松田共司（織物）仲宗根みちこ

〔準会員賞〕（絵画）安富幸子（版画）知念秀幸、友利直（彫刻）大城朝利（デザイン）知念仁志、与那覇勉（書道）大山美代子、金城多美子、新里智子、田名洋子（写真）翁長盛武（陶芸）大宮育雄、親川唐白（漆芸）赤嶺貴子（染色）仲松格（織物）津波古信江

〔沖展賞〕（絵画）上間彩花（デザイン）平安啓乃（書道）兼次律子（写真）本若博次（織物）仲宗根みちこ（ガラス）喜屋武昌哲

〔奨励賞〕（絵画）池原優子、永島正、松田盛吉、与那嶺誠（版画）座間味良吉（彫刻）新垣盛秀、上間美花（デザイン）幸地のぞみ、島袋洋（書道）石川美智子、斎藤純子、城間律子、髙江洲朝則、友利通子、豊平美奈子、仲里徹、比嘉邦子、比嘉登美子（写真）大城光雄、仲宗根直（陶芸）玉城望、松尾暢生、松田共司（漆芸）杉野義則（染色）冝保聡、當山雄二（織物）大城哲、森吉奈津子（ガラス）照屋光則、東新川拓也、比嘉裕一

〔浦添市長賞〕（絵画）高野生優（版画）崎浜秀浩（彫刻）福地勲（デザイン）坪井季絵（書道）安里志乃（写真）森山ひろみ（陶芸）大城千秋（漆芸）髙江洲瑩子（染色）具志七美（織物）桃原積子（ガラス）具志堅充

〔日本民藝協会賞〕（陶芸）城間裕（織物）中村澄子

第60回 （2008年）

３月23日（日）～４月６日（日）まで15日間、浦添市民体育館（美術部門）・浦添市美術館（工芸部門）で開催。浦添市長賞を７部門11ジャンルに出し、日本民藝協会賞を工芸部門から２ジャンルに出す。

第60回記念「沖展」やんばる移動展が４月12日（土）～４月27日（日）まで16日間、名護21世紀の森体育館・名護市労働福祉センターで開催

〔陳列〕絵画147点、版画27点、彫刻33点、グラフィックデザイン48点、書芸387点、写真129点、陶芸80点、漆芸28点、染色36点、織物36点、ガラス54点。合計1005点

会員、準会員の推挙

〔会員〕（絵画）瑞慶山昇（版画）前田栄（グラフィックデザイン）玉城徳正（書芸）運天雅代、大山美代子、宮里朝尊

（写真）翁長盛武（漆芸）糸数政次

〔準会員〕（絵画）池原優子、波平栄宏、松田盛吉（版画）安仁屋政汎（彫刻）宮里努（書芸）安里志乃、仲里徹、松田征子（写真）宮城和成、本若博次（陶芸）國場一（漆芸）國吉亮子（ガラス）東新川拓也

〔準会員賞〕（絵画）瑞慶山昇、山内盛博（版画）前田栄（グラフィックデザイン）玉城徳正（書芸）運天雅代、大山美代子、西蔵盛英雄、宮里朝尊（写真）翁長達夫、翁長盛武（陶芸）佐渡山正光（漆芸）糸数政次

〔沖展賞〕（絵画）池原優子（彫刻）玉那覇英人（書芸）島崎サダエ（写真）宮城和成（陶芸）國場一（ガラス）東新川拓也

〔奨励賞〕（絵画）新崎多恵子、波平栄宏、橋本弘徳、松田盛吉（版画）座覇政秀、平川良栄（彫刻）仲村真理子、宮里努（グラフィックデザイン）ウチマヤスヒコ、幸地のぞみ、藤井浩輔（書芸）安里志乃、新垣任紀、伊野前喜美子、下地めぐみ、仲里徹、比嘉邦子、松田征子、山里美代子（写真）稲福政吉、前田貞夫、本若博次（陶芸）小橋川弘、照屋晴美、仲村まさひろ（漆芸）國吉亮子、杉野義則（染色）城間栄市、平良香奈子、宮城守男、迎里勝（織物）安里啓子（ガラス）大城英世、兼次直樹、古村綾子、冨着博文

〔浦添市長賞〕（絵画）安里彰博（版画）安仁屋政汎（彫刻）小橋川剛右（グラフィックデザイン）本若博次（書芸）松川美智子（写真）中島惰（陶芸）当真裕爾（漆芸）大見謝恒雄（染色）大橋伸正（織物）比嘉瑠美子（ガラス）新崎盛史

〔日本民藝協会賞〕（染色）石田麗（ガラス）野原智

第61回 （2009年）

３月22日（日）～４月５日（日）まで15日間、浦添市民体育館で開催。浦添市長賞を７部門11ジャンルに出す。

〔陳列〕絵画156点、版画28点、彫刻27点、グラフィックデザイン66点、書芸342点、写真132点、陶芸73点、漆芸25点、染色20点、織物35点、ガラス58点。合計962点

会員、準会員の推挙

〔会員〕（グラフィックデザイン）与那覇勉（書芸）山城篤男（陶芸）新垣初子

〔準会員〕（絵画）橋本弘徳（版画）仲本和子（グラフィックデザイン）幸地のぞみ（書芸）新垣敏子、髙江洲朝則、友利通子、島崎サダエ、比嘉邦子（写真）前田貞夫（陶芸）玉城望（ガラス）新崎盛史

〔準会員賞〕（絵画）池原優子、松田盛吉（彫刻）仲里安広（グラフィックデザイン）与那覇勉（書芸）東恩納安弘、山城篤男、山城美智子（写真）真栄田義和（陶芸）新垣初子（織物）伊藤峯子

〔沖展賞〕（絵画）橋本弘徳（版画）仲本和子（グラフィックデザイン）幸地のぞみ（書芸）新垣敏子

〔奨励賞〕（絵画）阿彦良子、栗山ルリ子、玉木義勝、並里幸太（版画）波平栄宏、保志門繁（彫刻）仲村真理子（グラフィックデザイン）ウチマヤスヒコ、宮城隆史（書

芸）石原勝子、上門かおり、我部幸枝、島崎サダエ、高江洲朝則、友利通子、仲里満、比嘉邦子（写真）中島脩、平安山英義、前田貞夫、吉直新一郎（陶芸）金城博美、玉城望、名波均（漆芸）知念巽、森田哲也（染色）宜保聡、金城成子、新保瑞希、平良香奈子（織物）大城智海、宮城奈々（ガラス）新崎盛史、大城英世、小野田郁子、島津幸子

〔浦添市長賞〕（絵画）新崎多恵子（版画）下地敏一（彫刻）河原圭佑（グラフィックデザイン）奥間洋子（書芸）伊野前喜美子（写真）真栄田静子（陶芸）Nicholas Centala（漆芸）松田力（染色）名城松子（織物）鈴木隆太（ガラス）我謝良秀

第62回 （2010年）

3月20日（土）〜4月4日（日）まで16日間、浦添市民体育館で開催。浦添市長賞を7部門12ジャンルに出す。

〔陳列〕絵画143点、版画26点、彫刻32点、グラフィックデザイン51点、書芸327点、写真123点、陶芸69点、漆芸24点、染色21点、織物33点、ガラス50点、木工芸29点。合計928点

会員、準会員の推挙

〔会員〕（絵画）池原優子（書芸）西蔵盛英雄、東恩納安弘（写真）普天間直弘、翁長達夫

〔準会員〕（絵画）並里幸太、新崎多恵子（版画）座間味良吉（彫刻）仲村真理子、玉那覇英人（グラフィックデザイン）諸見朝敬、ウチマヤスヒコ（書芸）上原貴子、我部幸枝

〔準会員賞〕（絵画）池原優子、上間彩花（版画）安仁屋政汎（書芸）西蔵盛英雄、東恩納安弘、松堂康子（写真）翁長達夫、普天間直弘、前田貞夫（陶芸）玉城望（漆芸）照喜名朝夫（染色）許田史枝（織物）新里玲子（ガラス）東新川拓也

〔沖展賞〕（絵画）並里幸太（彫刻）河原圭佑（グラフィックデザイン）諸見朝敬（書芸）幸喜洋人（木工芸）宮国昇

〔奨励賞〕（絵画）新崎多恵子、玉寄貞子、豊里三智恵、眞榮田文子（版画）金城節子、座喜味良吉（彫刻）倉富泰子、玉那覇英人、仲村真理子（グラフィックデザイン）ウチマヤスヒコ、山入端悠（書芸）上原善輝、上原貴子、我部幸枝、喜友名正子、仲宗根司、比嘉サエ子、與那城千恵子（写真）池田光敏、小鍋玉子、酒井利香、ハワンコビ・クリスィー（陶芸）新垣栄、下地葉子、西岡美幸（漆芸）兼次幸子、松田力（染色）大橋伸正、城間栄市、仲村由美（織物）島袋領子（ガラス）具志堅充、島袋信悟、當山みどり（木工芸）伊佐正、玄東哲、小波津朝春、戸眞伊擴

〔浦添市長賞〕（絵画）仲宗根美智子（版画）喜屋武信子（彫刻）知念盛一（グラフィックデザイン）與那覇綾（書芸）伊野前喜美子（写真）池原徳明（陶芸）内野正貴（漆芸）宮古千亜紀（染色）吉田誠子（織物）鈴木隆太（ガラス）喜納さくら（木工芸）兼次幸子

第63回 （2011年）

3月19日（土）〜4月3日（日）まで16日間、浦添市民体育館で開催。浦添市長賞を7部門12ジャンルに出す。

〔展示数〕絵画153点、版画23点、彫刻23点、グラフィックデザイン53点、書芸327点、写真120点、陶芸71点、漆芸25点、染色21点、織物38点、ガラス40点、木工芸22点。合計916点

会員、準会員の推挙

〔会員〕（絵画）新垣正一、佐久本米子（版画）友利直（書芸）上原幸子、長浜和子

〔準会員〕（彫刻）河原圭佑（書芸）島尚美（陶芸）新垣寛（染色）城間栄市（織物）宮城奈々（ガラス）比嘉裕一（木工芸）戸眞伊擴

〔準会員賞〕（絵画）佐久本米子、新垣正一（版画）友利直（グラフィックデザイン）ウチマヤスヒコ、諸見朝敬（書芸）幸喜石子、上原幸子、長浜和子（写真）仲宗根直（陶芸）松田共司

〔沖展賞〕（絵画）宮里昌信（彫刻）河原圭佑（グラフィックデザイン）瀬長洋一（書芸）島尚美（写真）小嶺朝子（陶芸）新垣寛（漆芸）前田栄（染色）城間栄市（織物）宮城奈々（ガラス）比嘉裕一（木工芸）戸眞伊擴

〔奨励賞〕（絵画）宮里友三、城間幸子、濵口真央、城間かよ子（版画）金城節子、座間味盛亮（グラフィックデザイン）沖田民行、小浜晋也、與那覇綾（書芸）比嘉徳史、金城ハル子、天久美津枝、石原勝子、渡慶次喜代美、石津陽子、仲宗根郁江（写真）渡久地政修、山内昌昭、東邦定（陶芸）仲村まさひろ、大石美智子（漆芸）前田春城、民徳嘉奈子（染色）迎里勝、城間あずき（織物）古屋英子、羽地美由希、普久原一恵（ガラス）冨着博文、松田豊彦（木工芸）奥間政仁、崎山里美、濱善裕

〔浦添市長賞〕（絵画）嵩原武子（版画）久場貫夫（彫刻）ニコラス・センタラ（グラフィックデザイン）仲里都貴江（書芸）豊平美奈子（写真）中島脩（陶芸）廣木弘一（漆芸）前田怜美（染色）仲村由美（織物）神谷あかね（ガラス）川満美佐子（木工芸）中林亮

第64回 （2012年）

3月17日（土）〜4月1日まで16日間、浦添市民体育館で開催。浦添市長賞を7部門12ジャンルに出す。学生を奨励する「沖縄教育出版賞」が新設される。

〔展示数〕絵画157点、版画26点、彫刻29点、グラフィックデザイン59点、書芸309点、写真119点、陶芸74点、漆芸27点、染色22点、織物38点、ガラス44点、木工芸22点。合計926点。

会員、準会員推挙

〔会員〕（絵画）上間彩花（書芸）山城美智子（陶芸）玉城望（織物）新里玲子（木工芸）戸眞伊擴

〔準会員〕（絵画）宮里昌信、山川さやか（書芸）上原孝之、幸喜洋人（漆芸）前田栄（染色）宮城守男（ガラス）冨着博文（木工芸）崎山里見

〔準会員賞〕（絵画）上間彩花（彫刻）河原圭佑（書芸）山城美智子、天久武和（陶芸）玉城望（染色）城間栄市（織物）新里玲子（ガラス）東新川拓也（木工芸）戸眞伊擴

〔沖展賞〕（絵画）宮里昌信（版画）座喜味盛亮（グラフィックデザイン）小浜晋也（書芸）上原孝之（写真）我喜屋明正（陶芸）石倉一人（漆芸）前田栄（木工芸）崎山里見

〔奨励賞〕（絵画）山川さやか、城間かよ子、金城清子、嵩原武子（版画）保志門繁、新屋敷孝雄（彫刻）都築康孝、小橋川剛右（グラフィックデザイン）沖田民行、大村郁乃、松嶋玲奈（書芸）幸喜洋人、伊野前喜美子、石津陽子、上門かおり、仲宗根郁江、上原千枝美（写真）原国政裕、池原徳明（陶芸）新垣智、田里博（漆芸）民徳嘉奈子、前田春城（染色）城間あずき、宮城守男（織物）鈴木隆太、花城美香（ガラス）冨着博文、岸本利恵子、下地真紀子（木工芸）當間孝、髙良康司、

〔浦添市長賞〕（絵画）釘本成行（版画）池城安武（彫刻）佐藤康司（グラフィックデザイン）佐久本邦華（書芸）島袋園子（写真）松門重雄（陶芸）松尾暢生（漆芸）兼次幸子（染色）山城あかね（織物）深石美穂（ガラス）寿紗代（木工芸）奥間政仁

〔沖縄教育出版賞〕（グラフィックデザイン）新城いのり（書芸）翁長沙季（写真）東優（陶芸）綿千里、

第65回（2013年）

3月23日（土）～4月7日（日）まで16日間、**浦添市民体育館**で開催。浦添市長賞、うるま市長賞を7部門12ジャンルに出す。学生を奨励する「沖縄教育出版賞」を出す。

〔展示数〕絵画153点、版画22点、彫刻32点、グラフィックデザイン53点、書芸285点、写真126点、陶芸68点、漆芸31点、染色27点、織物34点、ガラス49点、木工芸16点。合計896点

会員・準会員の推挙

〔会員〕（絵画）金城進（彫刻）河原圭佑（グラフィックデザイン）諸見朝敬（写真）島元智（陶芸）松田共司（染色）城間栄市

〔準会員〕（版画）新屋敷孝雄、保志門繁（グラフィックデザイン）沖田民行（書芸）豊平美奈子、仲宗根郁江（写真）渡久地政修（漆芸）民徳嘉奈子（織物）新垣隆（ガラス）松田豊彦（木工芸）當間孝

〔準会員賞〕（絵画）金城進（版画）座間味良吉（彫刻）河原圭佑、玉那覇英人（グラフィックデザイン）諸見朝敬（書芸）福原兼永、我部幸枝（写真）島元智（陶芸）松田共司（漆芸）當眞茂（染色）城間栄市、宮城守男（ガラス）大城尚也（木工芸）崎山里見

〔沖展賞〕（絵画）伊波則雄（彫刻）都築康孝（グラフィックデザイン）沖田民行（書芸）豊平美奈子（写真）渡久地政修（陶芸）伊志嶺達雄（漆芸）兼次幸子（織物）

島袋領子（木工芸）當間孝

〔奨励賞〕（絵画）サンリー・ヨンツォー、砂川恵光、釘本成行、濱口真央（版画）保志門繁、新屋敷孝雄（彫刻）津波夏希、大城清久、吉田俊景（グラフィックデザイン）仲里都貴江、前田勇憲、中井結（書芸）喜友名正子、渡久地美佐子、田頭節子、仲宗根郁江、玉城笙子、島袋園子（写真）東邦定、永味節子、安次嶺まり子（陶芸）田里博、前原常男、大城幸男（漆芸）有馬るり子、民徳嘉奈子、津波静子（染色）仲本のな、道家良典、迎里勝（織物）鈴木隆太、新垣隆（ガラス）伊敷寛光、松田豊彦、松田将吾（木工芸）高良康司、普天間典子

〔浦添市長賞〕（絵画）城間かよ子（版画）座喜味盛亮（彫刻）小橋川剛右（グラフィックデザイン）島尻一成（書芸）松川美智子（写真）我喜屋明正（陶芸）大海陽一（漆芸）前田春城（染色）永吉剛大（織物）川村早苗（ガラス）友利龍（木工芸）金城久美子

〔うるま市長賞〕（絵画）知念盛一（版画）池城安武（彫刻）大塚泰生（グラフィックデザイン）中曽根靖（書芸）上門かおり（写真）吉直新一郎（陶芸）町田智彦（漆芸）長嶺一枝（染色）加治工摂（織物）吉浜博子（ガラス）宜保郁美（木工芸）濱善裕

〔沖縄教育出版賞〕（版画）仲宗根さつき（彫刻）平敷傑（グラフィックデザイン）井出灯音（書芸）神山郁子（写真）比嘉緩奈（陶芸）金城彩子

第66回（2014年）

3月22日（土）～4月6日（日）まで16日間、**浦添市民体育館**で開催。浦添市長賞、うるま市長賞を7部門12ジャンルに出す。学生を奨励する「沖縄教育出版賞」を出す。

〔展示数〕絵画153点、版画28点、彫刻35点、グラフィックデザイン54点、書芸282点、写真122点、陶芸67点、漆芸27点、染色20点、織物38点、ガラス48点、木工芸16点。合計890点

会員・準会員の推挙

〔会員〕（絵画）山内盛博（彫刻）玉那覇英人（グラフィックデザイン）ウチマヤスヒコ（染色）宮城守男（木工芸）崎山里見

〔準会員〕（絵画）伊波則雄、城間かよ子、知念盛一（グラフィックデザイン）中井結（書芸）上門かおり（写真）吉直新一郎（漆芸）大見謝恒雄

〔準会員賞〕（絵画）宮里昌信、山内盛博（彫刻）玉那覇英人（グラフィックデザイン）ウチマヤスヒコ（書芸）仲里徹、村山典子（漆芸）前田栄（染色）宮城守男（織物）仲宗根みちこ（ガラス）比嘉裕一（木工芸）崎山里見

〔沖展賞〕（絵画）伊波則雄（彫刻）津波夏希（グラフィックデザイン）中井結（書芸）上門かおり（写真）吉直新一郎（陶芸）町田智彦（木工芸）津波敏雄

〔奨励賞〕（絵画）金城惠美子、城間かよ子、知念盛一（版画）玉城研、又吉舞子（彫刻）玉城正昌、大城清久、

小橋川剛右（グラフィックデザイン）山里永作、吉田コマキ、島袋雅（書芸）金城ハル子、安座間賀子、神里和子、金城めぐみ、天久美津枝（写真）池原徳明、兼島正、山内昌昭（陶芸）谷口室生、江口聡、玉城若子（漆芸）大見謝恒雄、大城文子（染色）迎里勝（織物）深石美穂、太幸恵、桃原積子（ガラス）村石信茂、岡部佳織、松田将吾（木工芸）奥間政仁、金城久美子、平良勇

〔浦添市長賞〕（絵画）砂川恵光（版画）久場貫夫（彫刻）平敷傑（グラフィックデザイン）仲里都貴江（書芸）呉屋純媛（写真）新城直美（陶芸）前原常男（漆芸）長嶺一枝（染色）野原＝仲本のな（織物）松尾由樹（ガラス）吉田栄美子（木工芸）濱善裕

〔うるま市長賞〕（絵画）仲宗根勇吉（版画）平川良栄（彫刻）神村吉次（グラフィックデザイン）城間アルベルト（書芸）田頭節子（写真）しんざとえいじ（陶芸）大海陽一（漆芸）上間利枝子（染色）瑞慶山和子（織物）花城美香（ガラス）友利龍（木工芸）親川勇

〔沖縄教育出版賞〕（グラフィックデザイン）松嶋玲奈（書芸）東江美優（陶芸）久保田千尋

第67回（2015年）
3月21日（土）〜4月5日（日）まで16日間、浦添市民体育館で開催。浦添市長賞、うるま市長賞を7部門12ジャンルに出す。学生を奨励する「沖縄教育出版賞」を出す。
〔展示数〕絵画148点、版画26点、彫刻30点、グラフィックデザイン55点、書芸250点、写真115点、陶芸67点、漆芸19点、染色21点、織物38点、ガラス44点、木工芸12点。計825点
会員・準会員の推挙
〔会員〕（絵画）宮里昌信（版画）座間味良吉（彫刻）仲里安広（書芸）我部幸枝（陶芸）大宮育雄（染色）仲松格（織物）仲宗根みちこ（ガラス）大城尚也
〔準会員〕（彫刻）大城清久（書芸）石津陽子（写真）東邦定、池原徳明、山内昌昭（陶芸）田里博（染色）迎里勝（織物）鈴木隆太（木工芸）津波敏雄
〔準会員賞〕（絵画）伊波則雄、宮里昌信（版画）座間味良吉（彫刻）仲里安広（グラフィックデザイン）幸地のぞみ（書芸）兼次律子、我部幸枝（写真）渡久地政修、吉直新一郎（陶芸）大宮育雄（漆芸）大見謝恒雄（染色）仲松格（織物）仲宗根みちこ（ガラス）大城尚也
〔沖展賞〕（絵画）北山千雅子（彫刻）伊志嶺達雄（グラフィックデザイン）島尻一成（書芸）新垣恵津子（写真）東邦定（陶芸）田里博（織物）島袋知佳子（ガラス）我謝良秀（木工芸）金城修
〔奨励賞〕（絵画）金城恵美子、小波津健、砂川恵光（版画）池城安武、大城有紀子（彫刻）大城清久、玉城正昌（グラフィックデザイン）川平勝也、仲里都貴江、濱口真央（書芸）石津陽子、上原善輝、渡慶次喜代美、松川美智子（写真）池原徳明、大川盛安、山内昌昭（陶芸）照屋晴

美、町田智彦（漆芸）宇野里依子（染色）迎里勝（織物）鈴木隆太、能勢玲子（ガラス）古賀雄大、照屋大海（木工芸）平良勇、津波敏雄、與那嶺勝正
〔浦添市長賞〕（絵画）喜屋武信子（版画）比嘉れもん（彫刻）津波夏希（グラフィックデザイン）城間アルベルト（書芸）島袋園子（写真）天久ゆういち（陶芸）谷口室生（漆芸）津波静子（染色）瑞慶山和子（織物）花城美香（ガラス）村石信茂（木工芸）親川勇
〔うるま市長賞〕（絵画）仲程悦子（版画）座喜味盛亮（彫刻）吉田俊景（グラフィックデザイン）山里永作（書芸）仲宗根司（写真）小出由美（陶芸）玉城若子（漆芸）大城清善（染色）平安山由美（織物）島袋領子（ガラス）比嘉奈津子（木工芸）奥間政仁
〔沖縄教育出版賞〕（版画）金城由季乃（グラフィックデザイン）比嘉恵万（書芸）國吉真吾

第68回（2016年）
3月19日（土）〜4月3日（日）まで16日間、浦添市民体育館で開催。浦添市長賞、うるま市長賞を7部門12ジャンルに出す。学生を奨励する「沖縄教育出版賞」を出す。
〔展示数〕絵画136点、版画28点、彫刻36点、グラフィックデザイン54点、書芸249点、写真124点、陶芸65点、漆芸16点、染色20点、織物28点、ガラス40点、木工芸11点。計807点
会員・準会員の推挙
〔会員〕（グラフィックデザイン）キムラロメオ、幸地のぞみ（書芸）金城多美子（写真）渡久地政修、吉直新一郎（漆芸）大見謝恒雄
〔準会員〕（絵画）砂川恵光、金城恵美子（彫刻）玉城正昌（グラフィックデザイン）大村郁乃（書芸）伊野前喜美子（織物）島袋知佳子、島袋領子（木工芸）奥間政仁
〔準会員賞〕（絵画）赤嶺広和、仲松清隆（版画）保志門繁（彫刻）大城清久、髙嶺善昇（グラフィックデザイン）キムラロメオ、幸地のぞみ（書芸）金城多美子、豊平美奈子（写真）渡久地政修、吉直新一郎（陶芸）新垣寛（漆芸）大見謝恒雄
〔沖展賞〕（絵画）仲程悦子（彫刻）玉城正昌（グラフィックデザイン）大村郁乃（書芸）伊野前喜美子（写真）國吉健郎（陶芸）宮國健二（漆芸）宇野里依子（織物）島袋知佳子（木工芸）金城久美子
〔奨励賞〕（絵画）金城恵美子、鈴木金助、砂川恵光（版画）池城安武、比嘉れもん（彫刻）伊志嶺達雄、鈴木一平（グラフィックデザイン）川平勝也、花城達紀、和田瑞希（書芸）田頭節子、仲宗根司、安座間賀子、小林好生（写真）砂川悦子、知念和範、仲間智常（陶芸）山城尚史、石倉一人（漆芸）長嶺一枝（織物）島袋領子（ガラス）古賀雄大、玉城晃（木工芸）奥間政仁
〔浦添市長賞〕（絵画）玉木義勝（版画）東亜紀（彫刻）平敷傑（グラフィックデザイン）仲里都貴江（書芸）謝名

平敷傑（グラフィックデザイン）仲里都貴江（書芸）謝名堂奈緒子（写真）花城雅孝（陶芸）新垣栄（漆芸）親泊英利（染色）宮城友紀（織物）能勢玲子（ガラス）當山みどり（木工芸）小橋川剛右

〔うるま市長賞〕（絵画）北山千雅子（版画）大山朝之（彫刻）津波夏希（グラフィックデザイン）吉田コマキ（書芸）當間秀美（写真）喜名朝駿（陶芸）伊志嶺達雄（漆芸）津波静子（染色）徳田佐和子（織物）吉本敏子（ガラス）照屋大海（木工芸）與那嶺勝正

〔沖縄教育出版賞〕（版画）金城由季乃（彫刻）翁長瞳（グラフィックデザイン）松田萌（書芸）比嘉優花（陶芸）門脇沙映

第69回 （2017年）

3月18日（土）〜4月2日（日）まで16日間、浦添市民体育館で開催。浦添市長賞、うるま市長賞を7部門12ジャンルに出す。学生を奨励する「沖縄教育出版賞」を出す。

〔展示数〕絵画146点、版画28点、彫刻40点、グラフィックデザイン51点、書芸261点、写真111点、陶芸62点、漆芸18点、染色19点、織物33点、ガラス25点、木工芸16点。合計810点

会員・準会員の推挙

〔会員〕（彫刻）大城清久（書芸）村山典子（写真）中山良哲、真栄田義和（陶芸）新垣寛

〔準会員〕（絵画）北山千雅子、鈴木金助、仲程悦子（版画）池城安武（彫刻）津波夏希（グラフィックデザイン）川平勝也、島尻一成、仲里都貴江、山里永作（書芸）金城めぐみ、渡慶次喜代美（陶芸）新垣栄（漆芸）宇野里依子（木工芸）與那嶺勝正

〔準会員賞〕（絵画）新崎多恵子、山川さやか（版画）仲本和子（彫刻）大城清久（書芸）村山典子、与那嶺典子（写真）中山良哲、真栄田義和（陶芸）新垣寛（染色）迎里勝（織物）島袋知佳子（木工芸）奥間政仁、津波敏雄

〔沖展賞〕（絵画）鈴木金助（版画）池城安武（彫刻）趙英鍵（グラフィックデザイン）川平勝也（書芸）渡慶次喜代美（写真）儀間生子（陶芸）当真裕爾（漆芸）宇野里依子（木工芸）與那嶺勝正

〔奨励賞〕（絵画）北山千雅子、鶴見伸、仲程悦子、（版画）大城有紀子（彫刻）津波夏希、平敷傑（グラフィックデザイン）島尻一成、仲里都貴江、山里永作（書芸）金城めぐみ、島袋園子、比嘉徳史、宮城みち子（写真）亀島重男、中村秀雄、花城雅孝（陶芸）新垣栄、山内徳光（漆芸）親泊英利（染色）宮城友紀（織物）崎原克友、平良京子、桃原積子（ガラス）友利龍、野原智、森上真（木工芸）漢那憲次、佐久川正次

〔浦添市長賞〕（絵画）赤嶺美代子（版画）東亜紀（彫刻）吉田香世（グラフィックデザイン）和田瑞希（書芸）仲宗根司（写真）國吉健郎（陶芸）石倉一人（漆芸）津波静子（染色）平良幸子（織物）玉城恵（ガラス）加藤周作

（木工芸）小橋川剛右

〔うるま市長賞〕（絵画）サンリー・ヨンツォー（版画）城間弘文（彫刻）山本恭平（グラフィックデザイン）城間アルベルト（書芸）福原美枝（写真）喜名朝駿（陶芸）比嘉正徳（漆芸）與那嶺勝正（染色）知念冬馬（織物）野里愛子（ガラス）當山みどり（木工芸）野田洋

〔沖縄教育出版賞〕（絵画）新垣なつみ（版画）長山明菜（彫刻）鈴木一平（グラフィックデザイン）仲座萌香（書芸）仲間李子（写真）比嘉尚哉（陶芸）山内なつみ

第70回 （2018年）

3月21日（水・祝）〜4月8日（日）まで19日間、浦添市民体育館で開催。浦添市長賞、うるま市長賞を7部門12ジャンルに出す。学生を奨励する「e-no株式会社賞」を出す。

〔展示数〕絵画139点、版画24点、彫刻38点、グラフィックデザイン63点、書芸256点、写真106点、陶芸61点、漆芸20点、染色25点、織物35点、ガラス39点、木工芸20点。合計826点

会員・準会員の推挙

〔会員〕（版画）仲本和子（書芸）仲里徹（漆芸）照喜名朝夫（染色）迎里勝（木工芸）奥間政仁、津波敏雄

〔準会員〕（絵画）上原はま子（書芸）田頭節子（写真）仲間智常（織物）桃原積子（ガラス）森上真、兼次直樹

〔準会員賞〕（絵画）北山千雅子、並里幸太（版画）仲本和子（グラフィックデザイン）島尻一成（書芸）幸喜洋人、仲里徹、比嘉邦子（写真）東邦定（漆芸）宇野里依子、照喜名朝夫（染色）迎里勝（木工芸）奥間政仁、津波敏雄

〔沖展賞〕（絵画）與那覇勉（彫刻）翁長瞳（グラフィックデザイン）中曽根靖（書芸）仲舛由美子（写真）仲間智常（陶芸）山内徳光（ガラス）森上真（木工芸）波平敏弥

〔奨励賞〕（絵画）上原はま子、サンリー・ヨンツォー、比嘉博（版画）東亜紀（彫刻）趙英鍵（グラフィックデザイン）長谷川まさし、和田瑞希（書芸）上原千枝美、田頭節子、玉城笙子、知念一正（写真）親富祖勝枝、喜名朝駿、玉城律子（陶芸）谷口室生、山城尚子（漆芸）親泊英利（染色）大城はるか、瑞慶山和子、知念冬馬（織物）崎原克友、次呂久幸子、桃原積子（ガラス）兼次直樹、東恩納司、村石信茂（木工芸）瓜田一、勝連邦彦、野田洋

〔浦添市長賞〕（絵画）与那覇俊（版画）石垣亜実（彫刻）小橋川剛右（グラフィックデザイン）仲座萌香（書芸）山里昌輝（写真）豊里友行（陶芸）宮國健二（漆芸）大城清善（染色）宮城友紀（織物）天久奈津美（ガラス）我謝良秀（木工芸）比嘉亮太

〔うるま市長賞〕（絵画）嵩原武子（版画）座喜味盛亮（彫刻）平敷傑（グラフィックデザイン）山里美紀子（書芸）島袋園子（写真）与儀文夫（陶芸）小浜由子（漆芸）桃原教子（染色）深沢さやか（織物）金良美香（ガラス）

上地律子（木工芸）田里友一郎
〔e-no株式会社賞〕（絵画）仲宗根萌（版画）伊佐二葉（彫刻）丹羽正淳（グラフィックデザイン）比嘉健吾（書芸）上元優（写真）比嘉尚哉（陶芸）鈴木まこと（染色）赤嶺耕平（木工芸）浦崎翔太

第71回 （2019年）

3月23日（土）〜4月7日（日）まで16日間、ANA ARENA浦添（浦添市民体育館）で開催。浦添市長賞、うるま市長賞を7部門12ジャンルに出す。学生を奨励する「e-no株式会社賞」を出す。

〔展示数〕絵画134点、版画20点、彫刻39点、グラフィックデザイン62点、書芸269点、写真107点、陶芸56点、漆芸23点、染色28点、織物38点、ガラス44点、木工芸25点。合計845点

会員・準会員の推挙

〔会員〕（絵画）並里幸太（版画）保志門繁（グラフィックデザイン）島尻一成（書芸）与那嶺典子（陶芸）佐渡山正光（ガラス）比嘉裕一

〔準会員〕（絵画）サンリー・ヨンツォ、與那覇勉（版画）座喜味盛亮（グラフィックデザイン）和田瑞希、中曽根靖（写真）國吉健郎（陶芸）石倉一人、仲村まさひろ、山城尚子（染色）冝保聡（ガラス）古賀雄大（木工芸）金城修、平良勇

〔準会員賞〕（絵画）城間かよ子、並里幸太（版画）保志門繁（グラフィックデザイン）大村郁乃、島尻一成（書芸）新里明美、与那嶺典子（写真）宮城和成（陶芸）佐渡山正光（漆芸）前田栄（ガラス）比嘉裕一（木工芸）當間孝

〔沖展賞〕（絵画）サンリー・ヨンツォ（書芸）伊禮かおる（写真）國吉健郎（陶芸）石倉一人（ガラス）友利龍（木工芸）川崎哲哉

〔奨励賞〕（絵画）鶴見伸、仁添まりな、與那覇勉（版画）座喜味盛亮（彫刻）中澤将、平敷傑（グラフィックデザイン）棚原麻里奈、中曽根靖、和田瑞希（書芸）呉屋純媛、平良祥太、渡久地美佐子、東德嶺輔（写真）亀島重男、宮良正子（陶芸）仲村まさひろ、山城尚子（漆芸）津波静子、西原郭行（染色）冝保聡、平良幸子、知念冬馬（織物）宇江城ヤス子、中村友美（ガラス）古賀雄大、松田英吉（木工芸）金城修、平良勇

〔浦添市長賞〕（絵画）城間文雄（版画）仲村梨亜（彫刻）翁長瞳（グラフィックデザイン）山里美紀子（書芸）上原千枝美（写真）新城直美（陶芸）宮國健二（漆芸）兼次幸子（染色）渡名喜裕生（織物）新門伊咲美（ガラス）池宮城翔（木工芸）小橋川剛右

〔うるま市長賞〕（絵画）嵩原武子（版画）大城有紀子（彫刻）安里充廣（グラフィックデザイン）玉城久美子（書芸）玉城笙子（写真）しんざとえいじ（陶芸）新垣優人（漆芸）森田哲也（染色）座波千明（織物）澤村佳世

（ガラス）池宮城諄（木工芸）日比野雄也
〔e-no株式会社賞〕（絵画）宮城郁代（彫刻）酒井貴彬（書芸）久田玲緒奈（陶芸）大湾昇平（染色）坂本希和子（木工芸）上地春菜

第72回 （2020年）

新型コロナウイルス感染症拡大防止のため中止。
3月21日（土）〜4月5日（日）まで16日間、ANA ARENA浦添（浦添市民体育館）で開催を予定していた。浦添市長賞、うるま市長賞を12部門に出す。学生を奨励する「e-no株式会社賞」を出す。

〔当初展示予定数〕絵画133点、版画30点、彫刻34点、グラフィックデザイン51点、書芸276点、写真104点、陶芸54点、漆芸14点、染色26点、織物33点、ガラス22点、木工芸26点、合計803点

会員・準会員の推挙

〔会員〕（絵画）平川宗信（グラフィックデザイン）大村郁乃（漆芸）宇野里依子

〔準会員〕（書芸）安座間賀子、上原善輝、仲宗根司（織物）崎原克友（ガラス）我謝良秀、友利龍（木工芸）野田洋

〔準会員賞〕（絵画）サンリー・ヨンツォ、平川宗信（版画）座喜味盛亮（彫刻）新垣盛秀（グラフィックデザイン）大村郁乃（書芸）伊野前喜美子、我喜屋ヤス子（写真）國吉健郎（陶芸）石倉一人（漆芸）宇野里依子（織物）桃原　子

〔沖展賞〕（絵画）石川哲子（版画）遠藤仁美（書芸）仲宗根司（写真）宮良正子（織物）崎原克友（木工芸）屋部忠

〔奨励賞〕（絵画）浦田健二、國吉清、知名久夫（版画）比嘉莉々香（彫刻）翁長瞳、平良勇（グラフィックデザイン）棚原麻里奈、玉城祥大、山里美紀子（書芸）安座間賀子、上原善輝、金城久弥、仲村冴子（写真）蛯子渉、宮城悦子（陶芸）宮城真弓、宮國健二（漆芸）新城和也（染色）知念冬馬、永吉剛大（織物）金良美香、能勢玲子（ガラス）我謝良秀、友利龍（木工芸）野田洋、矢久保圭

〔浦添市長賞〕（絵画）仁添まりな（版画）安次嶺勝江（彫刻）小橋川剛右（グラフィックデザイン）大城愛香（書芸）渡久地美佐子（写真）宮城哲子（陶芸）嶺井律子（漆芸）西原郭行（染色）瑞慶山和子（織物）上原八重子（ガラス）松本栄（木工芸）川崎哲哉

〔うるま市長賞〕（絵画）与那覇俊（版画）小出由美（彫刻）吉田タカヨ（グラフィックデザイン）城間アルベルト（書芸）島袋園子（写真）知念和範（陶芸）金城英樹（漆芸）兼次幸子（染色）平良武（織物）福本理沙（ガラス）外間健太（木工芸）漢那憲次

〔e-no株式会社賞〕（絵画）小林実沙紀（版画）多和田菜七（彫刻）小林真理子（グラフィックデザイン）原田一貴（書芸）野原健斗（写真）小出由美（陶芸）上原真衣

会員・準会員名簿
沖展会則

沖展会員・準会員名簿

絵画部門

（氏名五十音順、敬称略）

【会　員（35人）】

赤嶺　正則	安次富　長昭	池原　優子	稲嶺　成祚	ウエチヒロ
上間　彩花	浦添　健	大城　讓	大浜　英治	奥本　静江
喜久村　徳男	喜友名　朝紀	金城　進	金城　幸也	具志　恒勇
具志堅　誓謹	佐久本　伸光	佐久本　米子	新垣　正一	瑞慶山　昇
砂川　喜代	知念　秀幸	鎮西　公子	当山　進	渡慶次　真由
中島　イソ子	並里　幸太	治谷　文夫	比嘉　武史	比嘉　良二
宮里　昌信	安元　賢治	山内　盛博	与久田　健一	與那嶺　芳恵

【準会員（25人）】

赤嶺　広和	新崎　多恵子	伊川　はるよし	伊波　則雄	上原　はま子
北山　千雅子	岸本　ノブヨ	金城　恵美子	サンリー・ヨンツォ	城間　かよ子
新城　弘市郎	鈴木　金助	砂川　惠光	知念　盛一	仲里　安広
仲程　悦子	仲松　清隆	橋本　弘徳	平川　宗信	松田　盛吉
宮里　昌健	山川　さやか	山城　政子	山田　武	與那覇　勉

版画部門

【会　員（16人）】

赤嶺　雅	新崎　竜哉	大久保　彰	神山　泰治	喜舎場　正一
座間味　良吉	瑞慶山　昇	知念　秀幸	知念　守	友利　直
仲本　和子	仲元　清輝	比嘉　良徳	保志門　繁	前田　栄
和宇慶　朝健				

【準会員（3人）】

池城　安武	座喜味　盛亮	新屋敷　孝雄

彫刻部門

【会　員（16人）】

上原　隆昭	上原　博紀	上原　よし	河原　圭佑	喜名　盛勝
具志堅　宏清	玉栄　広芳	玉那覇　英人	知念　良智	津波古　稔
富元　明雄	友知　雪江	仲里　安広	西村　貞雄	宮城　哲雄
與儀　清孝				

【準会員（9人）】

新垣　盛秀	大城　朝利	兒玉　真理子	﨑枝　静子	髙嶺　善昇
玉城　正昌	津波　夏希	濱元　朝和	宮里　努	

グラフィックデザイン部門

【会　員（15人）】

ウチマヤスヒコ	翁　長　自　修	亀　川　康　栄	岸　本　一　夫	キムラ　ロメオ
金　城　正　司	幸　地　のぞみ	島　尻　一　成	玉　城　徳　正	知　念　秀　幸
知　念　仁　志	本　庄　正　巳	宮　城　保　武	宮　城　　　祥	諸　見　朝　敬

【準会員（12人）】

大　城　康　伸	大　村　郁　乃	沖　田　民　行	川　平　勝　也	平　良　　　均
中　井　　　結	仲　里　都貴江	中曽根　　　靖	仲　本　京　子	山　里　永　作
山　田　英　夫	和　田　瑞　希			

書芸部門

【会　員（40人）】

東　江　順　子	安　里　牧　子	阿　部　田鶴子	新　城　弘　志	上　原　幸　子
上　原　彦　一	運　天　雅　代	大　城　武　雄	大　城　　　稔	大　山　美代子
我喜屋　明　正	我　部　幸　枝	神　山　律　子	金　城　多美子	小　杉　紘　子
砂　川　米　市	砂　川　　　榮	髙　良　房　子	田　名　洋　子	茅　原　善　元
渡名喜　　　清	名　嘉　喜　美	仲　里　　　徹	長　浜　和　子	仲　村　信　男
中　村　裕　美	仲　本　清　子	西蔵盛　英　雄	比　嘉　千鶴子	比　嘉　安　子
比　嘉　良　勝	東恩納　安　弘	前　田　賢　二	眞喜屋　美　佐	宮　里　朝　尊
村　山　典　子	盛　島　高　行	山　城　篤　男	山　城　美智子	与那嶺　典　子

【準会員（36人）】

天　久　武　和	石　津　陽　子	伊野前　喜美子	上　門　かおり	上　地　　　徹
上　原　貴　子	上　原　孝　之	上　間　志　乃	我喜屋　ヤス子	兼　次　律　子
金　城　めぐみ	幸　喜　石　子	幸　喜　洋　人	島　崎　サダエ	島　尚　美
城　間　律　子	新　垣　敏　子	新　里　明　美	新　里　智　子	髙江洲　朝　則
田　頭　節　子	渡慶次　喜代美	友　利　通　子	豊　平　美奈子	仲宗根　郁　江
西　澤　恒　子	波照間　達　夫	比　嘉　邦　子	福　原　兼　永	松　田　征　子
松　堂　康　子	宮　城　政　夫	本　村　晴　美	與久田　妙　子	吉　里　恒　貞
吉　田　優　子				

写真部門

【会　員（11人）】

大 城 信 吉	翁 長 達 夫	翁 長 盛 武	島 元　智	末 吉 はじめ
渡久地 政 修	中 山 良 哲	普天間 直 弘	真栄田 義 和	山 川 元 亮
吉 直 新一郎				

【準会員（14人）】

東　邦 定	池 原 德 明	石 垣 永 精	上 地 安 隆	金 城 棟 永
國 吉 健 郎	平 良 正 己	豊 島 貞 夫	仲宗根　直	仲 間 智 常
平 井 順 光	前 田 貞 夫	宮 城 和 成	本 若 博 次	

陶芸部門

【会員・審査員（16人）】

新 垣　修	新 垣　寛	大 宮 育 雄	親 川 唐 白	小橋川　昇
佐渡山 正 光	島　常 信	島 袋 常 一	島 袋 常 栄	島 袋 常 明
島 袋 常 秀	玉 城　望	松 田 共 司	宮 城 篤 正	山 田 真 萬
湧 田　弘				

【準会員（13人）】

新 垣 榮 用	新 垣 健 司	新 垣　栄	石 倉 一 人	伊 禮 クニヲ
大 林 達 雄	金 城 定 昭	國 場 一	高江洲 康 次	仲 村 まさひろ
比 嘉 拓 美	山 内 米 一	山 城 尚 子		

漆芸部門

【会　員（8人）】

糸 数 政 次	大見謝 恒 雄	金 城 唯 喜	後 間 義 雄	照喜名 朝 夫
前 田 國 男	前 田 貴 子	松 田　勲		

【準会員（6人）】

宇 野 里依子	國 吉 亮 子	當 眞　茂	前 田　栄	真栄田 静 子
民 徳 嘉奈子				

染色部門

【会　員（9人）】

城　間　栄　市	城　間　栄　順	玉那覇　道　子	玉那覇　有　公	仲　松　　格
外　間　　修	外　間　裕　子	宮　城　守　男	迎　里　　勝	

【準会員（4人）】

亘　保　　聡	許　田　史　枝	渡名喜　はるみ	仲　吉　委　子	

織物部門

【会　員（12人）】

新　垣　幸　子	糸　数　江美子	大　城　一　夫	祝　嶺　恭　子	新　里　玲　子
平　良　敏　子	多和田　淑　子	仲宗根　みちこ	長　嶺　亨　子	真栄城　興　茂
宮　平　初　子	和宇慶　むつみ			

【準会員（9人）】

伊　藤　峯　子	大　仲　毬　子	島　袋　領　子	島　袋　知佳子	新　垣　　隆
鈴　木　隆　太	津波古　信　江	桃　原　積　子	宮　城　奈　々	

ガラス部門

【会員・審査員（10人）】

池宮城　善　郎	泉　川　寛　勇	稲　嶺　盛一郎	稲　嶺　盛　吉	大　城　尚　也
末　吉　清　一	平　良　恒　雄	当　真　　進	比　嘉　裕　一	宮　城　篤　正

【準会員（8人）】

新　崎　盛　史	兼　次　直　樹	古　賀　雄　大	東新川　拓　也	冨　着　博　文
松　田　豊　彦	森　上　　真	屋　我　平　尋		

木工芸部門

【会員・審査員（6人）】

新　垣　吉　紀	奥　間　政　仁	崎　山　里　見	津　波　敏　雄	戸眞伊　　擴
西　村　貞　雄				

【準会員（4人）】

金　城　　修	平　良　　勇	當　間　　孝	與那嶺　勝　正	

2020年3月9日現在

沖 展 会 則

第一章　　名　称

第1条　この会は「沖展」と称し、沖縄タイムス社がこれを主催する。沖縄タイムス社の代表取締役が「沖展会長」に就く。

第二章　目的及び活動

第2条　この会は、「沖展」の展覧会活動を主軸として現代美術工芸の創造発展につとめる。この目的のために次のことを行う。
① 春季に公募展「沖展」を開催する。
② 優秀な新人の推奨につとめる。
③ この目的のために必要あるときは、他の団体、機関と協力する。

第三章　　方　針

第3条　沖展は、その伝統と歴史的な歩みのうえに各自の作品傾向を尊重し、その進展を期して運営される。

第四章　　構　成

第4条　沖展は、絵画・版画・彫刻・グラフィックデザイン・書芸・写真・陶芸・漆芸・染色・織物・ガラス・木工芸の12部門で構成する。

第5条　会の運営を円滑にするため、「会員総会」と「運営委員会」「企画委員会」を設ける。

第五章　会員・準会員

第6条　会員・準会員を各部門におき、その数については定めない。

第7条　会員は、準会員中より推挙することを原則とする。推挙は、沖展審査終了後会員の合議によって行われる。

第8条　準会員は一般出品者中より推挙される。推挙は、会員推挙と同時に会員の合議によって行う。

第9条　会員は準会員賞を2回以上、準会員は沖展賞を2回以上受賞した者を対象とし、奨励賞の受賞回数及び特別の推挙も考慮することができる。

第10条　会員・準会員は未発表の主要作品を沖展に発表し、又この会の維持運営に協力する。

第11条　会員・準会員は、希望意見を運営委員（部会長）に具申することができる。

第12条　客員・会員死去のときは、沖展会場に主要遺作を陳列することができる。陳列の場合、展示法、点数はそのつど企画委員会が協議する。

第13条　沖展に連続2回に亘って不出品を続ける会員・準会員は、その理由を運営委員会に知らさなければならない。病気その他の理由による不出品以外は運営委員会で審議の結果、会員・準会員を失格することがある。

第14条　会員・準会員のうちに、会の名誉を損なう不適当な行為のあったときは、運営委員会はこれを審議し、該当者に対し除名又は適宜の処置をとる。

第六章　運営委員会・部会

第15条　運営委員会は、各部門から選出された部会長12名と、運営委員長1名、事務局長1名をもって構成する。部会長が出席できない場合、副部会長（各部会それぞれ若干名置くことができる）が代理として参加できる。

第16条　運営委員長は、沖縄タイムス社読者局長がこれに当たり、運営を統括する。運営副委員長2名は運営委員長が部会長の中から委嘱し、委員長を補佐する。

第17条　運営委員会は、以下の事項について審議する。
① 沖展の運営について
② 会員・準会員の退会・除名の取り扱い（会員総会にて承認）
③ 事業計画の作成（会員総会にて承認）
④ 審査方針基本案の作成（審査委員長へ提案）

第18条　運営委員はそれぞれの所属部門の運営に当たる。

第19条　部会は、各部門とも運営委員の部会長と副部会長、会員で構成し、部内の調整を図りながら自主的に運営する。

第20条　運営委員の任期は2年とし、部会において各部で選出する。再任を妨げない。

第七章　企画委員会

第21条　企画委員会は、企画委員長と各部門の会員より選出される委員で構成する。

第22条　企画委員長は事務局長がこれを兼ね、必要に応じ企画委員会を招集する。

第23条　企画委員は、定例的に「沖展」を企画し、その推進と、運営の円滑をはかる。「沖展」の事業計画案を審議する。その他「沖展」会期中に処理すべき事項に当たる。

第24条　企画委員会は、欠席した部門に関する事項の決議は行わない。又委員の出席数が委任状を含めて定数の過半数に至らないときは、協議の決定は行わない。

第25条　企画委員会は、会員・準会員の中から下の係を若干名ずつ委嘱し、「沖展」運営の円滑をはかる。
　　　　① 搬入、搬出係（作品の保護管理の指導を担当する）
　　　　② 審査係（審査の進行、記録、入選通知、発表等を担当する）
　　　　③ 図録作成係（沖展図録の編集及びデザインを担当する）
　　　　④ 会場構成係（沖展会場内外及び周辺の構成を担当する）
　　　　⑤ 受賞係（賞状、賞品等の準備、作成を担当する）
　　　　⑥ 懇親会係（贈呈式、懇親会の運営を担当する）
　　　　⑦ 推挙事務係（被推挙者の資料作成を担当する）
　　　　⑧ PR 係（報道対策、沖展盛り上げ企画等を担当する）
第26条　企画委員の定数は、絵画3、版画2、彫刻2、グラフィックデザイン2、書芸3、写真2、陶芸1、漆芸1、染色1、織物1、
　　　　ガラス1、木工芸1名、計20名とする。
第27条　企画委員の任期は2年とし、部会において各部で選出する。再任を妨げない。

第八章　　審査及び陳列
第28条　公募作品は会員がその審査に当たる。
第29条　審査委員長は運営委員長がこれに当たる。
第30条　審査委員長は、運営委員会の協議による基本案をもとに審査方針をたて、審査を主導する。又審査を円滑に運ぶための決
　　　　定権をもつ。
第31条　① 作品の陳列は、各部門から部門別の陳列委員長を選出して行う。
　　　　② 陳列委員長は、各部門審査終了と同時に選出する。
　　　　③ 陳列は各部門陳列委員長の下に、若干名の陳列委員をおいて行う。陳列委員は、陳列委員長の意向を参酌の上、会員・
　　　　　準会員の中から、審査会の席上で決める。
　　　　④ 陳列は陳列委員長の責任にて行う。

第九章　　顧問及び客員
第32条　本会の維持と発展に功績のあった人を顧問又は客員として置くことができる。

第十章　　賛助会員
第33条　本会に賛助会員を置くことができる。
第34条　賛助会員は運営委員会によって推挙されたもので、沖展に招待出品することができる。

第十一章　　会員総会
第35条　会員総会は、沖展会員をもって構成し、毎年1回開催する。但し、必要がある時に臨時会員総会を開催することができる。
第36条　会員総会の議長は、沖展会長がこれに当たる。
第37条　会員総会は、以下の事項について承認する。
　　　　①「運営委員会」や「企画委員会」で審議した決議事項
　　　　② 会則の改正
　　　　③ 事業計画・募集要項
　　　　④ 運営委員・企画委員
　　　　⑤ その他、会の運営に関する重要な事項
第38条　会員総会は会員の過半数（委任状を含む）をもって成立する。

第十二章　　事　務　局
第39条　事務局を沖縄タイムス社読者局文化事業本部に置く。
第40条　事務局長を置き、沖縄タイムス社読者局文化事業本部長がこれに当たる。

第十三章　　補　　則
第41条　この会則に定めのない事項は、会員総会の承認を経て沖展会長が別に定める。
第42条　この会則を実施するために、運営内規を定めることができる。運営内規は各部会または必要に応じて運営委員会で決定し、
　　　　沖展会長の承認を得て実施する。

　　　　　　　　　　　　　1. 本会則は1971年2月9日より実施する。
　　　　　　　　　　　　　2. 1984年4月3日改正
　　　　　　　　　　　　　3. 1986年12月2日改正（第4条、第25条）
　　　　　　　　　　　　　4. 2017年9月2日改正（第16条、第25条）
　　　　　　　　　　　　　5. 2020年2月1日改正（第1条、第2条、第4条、第5条、第8条、第9条、第11条、第12条、第15条、
　　　　　　　　　　　　　　第16条、第17条、第18条、第19条、第20条、第21条、第22条、第23条、第24条、第25条、
　　　　　　　　　　　　　　第26条、第27条、第28条、第29条、第30条、第31条、第32条、第33条、第34条、第35条、
　　　　　　　　　　　　　　第36条、第37条、第38条、第39条、第40条、第41条、第42条）

OKITEN 2019 EXHIBITION 71st. 沖展

2019 年 4 月 7 日　撮影

協賛企業

DRAFT BEER

Orion

ORION'S ORIGINAL BREW

★★★

Orion

ORION DRAFT BEER'S CLEAR MILD TASTE IS
WIDELY LOVED AS AN OKINAWAN ORIGINAL.

DRAFT BEER

お酒 オリオン生ビール ALC.5%
[非熱処理]

爽快という、うまさ。

DRAFT BEER

沖縄の「手土産」のイメージを一新して誕生！

e-no（イーノ）株式会社は令和元年を締めくくる12月に沖縄で初となる新食感のようかん「れきをーかん」を発売しました。「れきをーかん」は、沖縄を代表するシークヮーサー、月桃、紅芋、その他カンダバーなど28種の島野菜を配合した、これまでにない爽やかな甘酸っぱさと、もちっプルの新食感のようかん。「和 × 南国 × 健康」が詰まった沖縄の自然や文化を感じられるおもてなしの琉球菓子「琉菓子（るがし）」を大切な方へ贈る一品として、ご活用いただければ幸いです。

KARIYUSHI HOTELS

それぞれのホテルで、それぞれの過ごし方。
かりゆしホテルズは、最高のおもてなしで、みなさまをお迎えします。

Okinawa EXES Naha

Okinawa Kariyushi
Beach Resort Ocean Spa

KARIYUSHI LCH.RESORT on The Beach

Okinawa Spa Resort EXES

Okinawa EXES Ishigakijima

Okinawa Kariyushi
Urban Resort Naha

KARIYUSHI LCH.
Izumizaki 県庁前

KARIYUSHI LCH.
2nd Izumizaki

KARIYUSHI LCH.
PREMIUM

KOBUNDO
Communications
光文堂コミュニケーションズ㈱

人と人をつなぐ 幸せを、いつまでも。

古美術 観宝堂

骨董品・美術品 誠実高価買入、無料鑑定も致します。
お気軽に御相談下さい。

本　店　沖縄県那覇市松山1-23-1　（福州園正門前）
　　　　TEL（098）863-2643　FAX（098）863-0583
東京店　東京都港区南青山4-23-6　（根津美術館横）
　　　　TEL（03）3499-5056　FAX（03）6778-8173

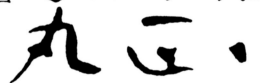

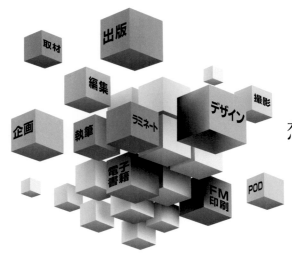

ひとつひとつの　　想いをカタチに…

 ㈱東洋企画印刷
代表取締役　大城　孝

㈱東洋企画印刷はプライバシーマーク認定企業です。
デザイン・編集／印刷物の企画・立案／出版・印刷物の電子メディア化・取材・撮影
FM 高精細印刷／ラミネート加工・オンデマンド印刷／出版セールスプロモーション

第72回　沖展図録

定 価（本体 1,364円＋税）

■発行日：2020年３月21日
■印　　刷：株式会社 東洋企画印刷

発行　沖縄タイムス社読者局文化事業本部

Ⓒ 2020, Okinawa Times Co.,Ltd　*Printed in Japan*
写真および本文の無断転載を禁じます
ISBN978-4-87127-271-1

■表紙デザイン：幸地のぞみ
■沖展ロゴタイプデザイン：宮城 保武・我喜屋 明正
■写真撮影：LaLa Film's（ララフィルム）

●主　催　沖縄タイムス社
●協　力　浦添市・浦添市教育委員会
●協　賛　オリオンビール(株)・e-no(株)
　　　　　沖縄食糧(株)・(株)大川・(株)かりゆし
　　　　　光文堂コミュニケーションズ(株)
●後　援　沖縄県・沖縄県教育委員会・琉球放送
　　　　　琉球朝日放送・ＮＨＫ沖縄放送局
　　　　　エフエム沖縄

【協 力】
ウエチヒロ　　佐久本伸光　　鎮西　公子　　上原　博紀
河原　圭佑　　ウチマヤスヒコ　渡名喜　清　　長浜　和子
渡久地政修　　吉直新一郎　　外間　　修　　外間　裕子
宮城　守男　　真栄城興茂　　和宇慶むつみ

【編 集】
船越　三樹　　吉田　　伸　　美里　　睦　　仲程　香野